Au bout du monde

© Éditions Dapper, Paris, 2004, 2005, 2007, 2011, 2012

Loi n° 49-956 du 16 juillet 1949
sur les publications destinées à la jeunesse

Illustration de couverture : Jacques Ferrandez

ISBN : 978-2-915258-04-2
Dépôt légal : février 2015.

GISÈLE PINEAU

Les Colères
du volcan

ÉDITIONS DAPPER

Chapitre 1

Il n'y avait pas une autre vérité cachée en lettres amères et minuscules quelque part en bas de page. C'était inscrit noir sur blanc, signé de la maîtresse, contresigné du directeur et tamponné du sceau de l'école. Maman avait beau lire et relire mon carnet de notes, le tourner et le retourner dans tous les sens comme un billet gagnant de tombola, les mots étaient clairs et nets.

Au bout d'un moment, elle a dit: « Oh! Seigneur! Tu passes vraiment en sixième! Je n'en reviens pas. Je suis soulagée, Cynthia. Tu passes en sixième! Tant d'efforts enfin récompensés. Tu prends un nouveau départ. Tu entres au collège, c'est fini les petites classes. Les choses sérieuses commencent. Tu me promets, tu travailleras d'arrache-pied pour réussir. Tu mettras les bouchées doubles. Tu te battras, hein ! Tu vas apprendre l'anglais, Cynthia. Tu te rends compte ! Tu pourras aller en Amérique, en Angleterre, voyager dans le monde entier… Tu es contente, hein ! »

J'ai avalé ma salive de travers. Je n'avais jamais été une très bonne élève. Le cours préparatoire était resté un souvenir douloureux dans ma mémoire. Une vraie torture. Apprendre à lire, à écrire et à compter du jour au lendemain. Tenir un crayon et former des mots et des chiffres. Réfléchir, suivre des consignes, calculer, conjuguer, compléter, soustraire, additionner… J'avais redoublé mon CM1. En primaire, les instituteurs et institutrices chantaient toujours le même couplet : « Tu as des capacités, Cynthia ! Tu n'es pas la plus bête. Il faut te secouer, Cynthia ! »

Oui, j'étais contente de passer en sixième…

— Tu sais ce qu'on va faire ? a demandé maman sur un ton férocement enthousiaste.

— Hein ! Quoi ?

J'imaginais déjà le pire. Et ça n'a pas loupé…

— On va mettre tes deux mois de vacances à profit…

— Hein !

— Arrête de dire « hein ! » comme si tu débarquais d'une autre planète… Tu sais bien qu'il faut préparer ton entrée en sixième, Cynthia ! Tu as déjà un an de retard et tu passes de justesse. Comme chaque année, tu feras tes devoirs de vacances en priorité. Ainsi tu ne seras pas à la traîne à la rentrée. Regarde les jumeaux ! David et Laura passent en seconde avec les félicitations de leurs professeurs. Je ne comprends pas ce qui ne marche pas chez toi, ma pauvre Cynthia. Je ne comprends vraiment pas…

Dès que maman disait cette phrase : « Je ne comprends pas ce qui ne marche pas chez toi, Cynthia… », je voyais aussitôt la vieille roue en bois disloquée, abandonnée contre le tronc du manguier, dans le jardin de notre voisin. Il s'appelait Père Francis et vivait seul dans la case où il était né soixante-dix ans plus tôt. Sur son lit de mort, son père lui avait fait promettre de ne jamais abandonner les terres, de continuer à planter et récolter la canne à sucre. Père Francis avait promis. Non, il ne se considérait pas comme un grand propriétaire terrien. Cependant, il répétait avec fierté que la culture de la canne était une tradition familiale. On pouvait lui offrir des milliards de francs pour son hectare, jamais il ne vendrait le moindre centimètre carré. Quelques promoteurs immobiliers et constructeurs d'hôtels s'étaient risqués devant sa porte. Père Francis les avait chassés les uns après les autres. « Hein ! que j'ai raison, Cynthia ! *A pa jè !* Qu'est-ce que je ferai de l'argent ? Si je peux plus voir le soleil se lever sur la mer, j'ai plus rien à ficher sur cette terre. Si je peux plus regarder mes cannes se balancer dans le vent, j'ai plus qu'à me coucher et mourir, pas vrai ?... J'ai promis, Cynthia, tu comprends... » Parfois, il était amer et me disait que sa terre était comme une femme jalouse qui le tenait prisonnier, ne lui avait pas permis d'aller courir le monde, de prendre du bon temps, de chercher une fiancée, de fonder une famille. Il ne s'était jamais marié.

Je voyais bien que la solitude lui pesait certains jours. Alors, le mercredi après-midi, je lui rendais visite. Nous passions un petit moment sous sa véranda. Il causait de la pluie et du beau temps, des espoirs de récoltes et de la Guadeloupe d'autrefois. Je lui racontais mes petites histoires de classe pour le faire rire et l'entendre dire : « Ah ! la jeunesse ! Ah ! la jeunesse d'aujourd'hui ! » Ensuite, il m'invitait à venir cueillir les fruits de son jardin. Quand le panier était plein, Père Francis se taisait, et son regard se perdait vers le lointain. Je l'imitais toujours, l'observant du coin de l'œil. Silencieux et immobiles, nous pouvions rester des heures à contempler la cannaie, la mer et la ligne de l'horizon qui, par beau temps, nous offrait de voir l'île de Montserrat, avec sa Soufrière.

Situé derrière sa case, le jardin de Père Francis était planté d'une centaine d'arbres fruitiers. Deux orangers, un pamplemoussier, un avocatier, trois citronniers, au moins une trentaine de bananiers qui donnaient des bananes de toutes les sortes, un immense arbre à pain, un calebassier, deux caféiers, un cacaoyer, un cannelier, un pied de prunes-Cythère, deux caramboliers, un ica-quier, un corossolier et… le manguier centenaire contre lequel il avait déposé, sans se résoudre à la jeter, la roue en bois disloquée.

Au temps de la récolte de la canne à sucre – une fois l'an –, Père Francis sortait sa charrette de la case faite de tôles raccommodées qu'il nommait pompeusement « le garage ». Il dépoussiérait la charrette, en nettoyait le plancher, astiquait les ridelles, graissait les fers, enduisait les roues de cire. Deux belles roues de bois, jumelles, parfaites, taillées vingt-cinq ans auparavant par un maître ouvrier charron. Deux belles roues qui se pavanaient sur les routes, ne posaient pas de problèmes, servaient à quelque chose... La roue sous le manguier n'était même pas une roue de secours, m'avait dit Père Francis. « Elle a un défaut de fabrication, une faiblesse dans son bois. » Un jour, il y a longtemps, elle avait été en service avec sa semblable. Elles avaient commencé à se fendre sournoisement et s'étaient cassées au premier petit caillou rencontré. « *A pa jè !* Elles ont manqué me tuer, ces sacrées roues ! La charrette s'est renversée, *blogodo* ! Je me suis relevé avec un bras cassé en trois morceaux et tout mon chargement de cannes au bas de la route. Grâce à Dieu, Cynthia ! Grâce à Dieu, les bœufs ont été épargnés. Ces roues avaient été fabriquées par un charron qui confiait la tâche à des apprentis sans métier, juste pour faire du profit. Tu vois où ça mène la malhonnêteté ! » En effet, je voyais parfaitement le triste destin de cette roue… Des herbes grimpantes s'enroulaient autour de sa jante. Les rais servaient d'autoroutes à des bestioles monstrueuses à longues pattes et ailes froufrou-tantes. Le moyeu était recouvert de moisissures. La roue abandonnée était devenue un repaire de crapauds et finissait sa vie dévorée par les termites. Quant à sa semblable, elle avait disparu.

C'était magnifique de voir Père Francis mener sa récolte de cannes à la sucrerie. Il était fier, assis droit sur sa banquette, conduisant sa charrette atte-lée à ses deux bœufs musculeux et fringants, roux de poil. Selon les jours, il ressemblait tantôt à un homme du Far West perché sur sa diligence et filant à toute allure, tantôt à un superbe athlète de l'Antiquité sur son char, tantôt à un tranquille cocher de fiacre ou de carrosse… On le croisait parfois. Papa le klaxonnait, pip ! pip !, et Père Francis faisait un signe de la main, d'une manière désinvolte, grand seigneur, comme si le monde était son royaume, comme si le temps ne lui était pas compté…

— Alors, tu es d'accord avec ce programme ?

— Hein !

— Est-ce que tu m'écoutes quand je te parle, Cynthia ?

— Hein !

— Arrête de dire : « Hein ! hein ! hein ! » Mon Dieu ! Qu'est-ce que j'ai fait pour avoir une enfant pareille ! De quoi je parlais, là, tout de suite ?

Et voilà, c'est ce qu'on appelle « être pris en flagrant délit » dans les séries policières.

— Tu ne m'écoutes pas. Tu rêves tout le temps, c'est ton problème ! Tu ne t'intéresses à rien ! Tu es incapable de te concentrer sur quelque chose… Tu me fatigues, Cynthia…

Je tentai de rassembler mes idées en vitesse. Maman me faisait de la peine. Je sentais qu'elle était au bord des larmes, au bord d'un volcan qui ne demandait qu'à cracher ses gaz, ses cendres et ses roches.

— Tu… parlais de… de… de l'Amérique et des voyages…

— Tu ne m'écoutes pas, Cynthia ! Tu devrais prendre exemple sur les jumeaux…

Laura et David se sont toujours entendus à merveille pour multiplier par deux la joie et le bonheur de maman. Pas de défaut de fabrication. Un parcours sans faute. Quand je suis arrivée dans ce monde, je les ai trouvés déjà bien installés, parfaitement organisés. Ils avaient trois ans. Faisaient déjà tout ensemble. À deux. Seulement à deux. Après ma naissance, ils ont continué leur petit bonhomme de chemin.

Ils n'ont jamais été méchants avec moi, au contraire. Je crois simplement qu'ils n'avaient rien à me dire parce qu'ils vivaient dans leur petit monde. Un tout petit monde. Une minuscule planète habitée par une fille et un garçon nés le même jour : Laura et David qui rient aux mêmes blagues, se comprennent sans avoir à ouvrir la bouche ni même à se regarder. Laura et David qui font du roller ensemble, aiment les mêmes programmes à la télé et écoutent les mêmes musiques. Laura et David : mêmes yeux noirs, même petit sourire en coin… Parfois, ils essayaient de s'intéresser à moi, Cynthia, leur petite sœur, la troisième roue de la charrette, la roue abandonnée aux termites et aux rats… Laura me faisait réviser mes leçons quand maman n'en pouvait plus. De temps en temps, elle tressait mes cheveux ou me racontait une histoire. David m'apprenait à jouer aux échecs et au football. Mais ils ne s'attardaient pas trop, comme si ma compagnie les ennuyait. Ils n'étaient bien qu'ensemble.

— Prépare-toi ! On va acheter tes cahiers de vacances. En passant, on prendra les jumeaux à la bibliothèque. (Maman s'agitait.) Il faut commencer les devoirs de vacances le plus tôt possible. Tu n'as pas le choix. Il faut que tu combles tes lacunes, que tu rattrapes ton retard, que tu connaisses d'avance le programme de sixième…

Sur la route qui menait au bourg de Sainte-Rose, je restai silencieuse. Les mains jointes entre les cuisses, je regardais défiler les champs de cannes, me disant que j'aurais dû hériter d'une tradition familiale comme Père Francis. À l'heure qu'il est, je serais en train de conduire une charrette emplie de cannes sucrées, en pensant au dîner que je ferais des fruits de mon jardin du paradis. Je n'aurais pas à compter le temps…

— Tu as déjà redoublé ton CM1, Cynthia ! Qu'est-ce que tu vas faire plus tard ? Je ne serai pas toujours là pour te nourrir et t'habiller… Tu n'as plus de temps à perdre…

Maman est comptable dans une agence de compagnie d'assurances et papa gère une station essence *Shell*. Il part tôt le matin et rentre très tard le soir…

— Prends exemple sur les jumeaux ! Arrête de rêver, Cynthia ! Tu devrais…

Parfois, au jardin avec Père Francis, je me disais que j'avais un jumeau aussi. Bon, il était très vieux, très maigre, très ridé, très noir. Ses cheveux étaient tout blancs et son bras droit fonctionnait à moitié – vu qu'il avait été cassé dans l'accident de la charrette. Moi, j'avais seulement douze ans et l'avenir devant moi. Mais, quand on regardait ensemble ses champs de cannes, la mer et, au loin, l'île de Montserrat, je me sentais bien, l'esprit tranquille. L'espace d'un instant, j'avais l'impression qu'on formait un petit monde à nous deux, qu'on vivait sur une petite planète occupée par deux personnes : Francis et Cynthia.

Maman me répétait que je devrais accompagner Laura et David à la bibliothèque, au lieu d'aller perdre mon temps, tous les mercredis après-midi, à écouter les histoires d'un vieux bonhomme qui ne savait même pas bien parler le français. Pourtant, elle n'avait rien à dire quand je lui ramenais de gros avocats, des oranges, des pamplemousses roses sucrés, des citrons verts, des fruits à pain, des...

— Il n'a pas de bananes plantains en ce moment, le Père Francis ?

Souvent, j'avais le sentiment que maman lisait dans mes pensées.

— Hein !

— Des bananes jaunes, à cuire. J'ai envie de manger des bananes jaunes.

— Je sais pas.

— Tu pourrais aller lui demander demain matin ?

— Hein !

— Tu fais juste l'aller-retour. Je serai au travail, mais tu ne m'attends pas pour commencer tes devoirs de vacances, hein ! Promis ?

— Promis.

*

Cette année-là, les devoirs ont dévoré la moitié de mes vacances. Je n'ai guère eu le temps d'aller du côté de Père Francis. Mais à chaque fois qu'on se retrouvait, on parlait de Montserrat. Il répétait qu'avant de mourir la dernière chose qu'il désirait en ce monde, c'était de traverser la mer pour voir à quoi ressemblait cette île de Montserrat qu'il reluquait depuis près de soixante-dix ans. Il se posait tant de questions. Est-ce qu'il y avait les mêmes genres de nègres, là-bas ? Est-ce que les plages déroulaient le même sable ? Est-ce que le volcan « la Soufrière », qui portait le même nom que celui de Guadeloupe, couvait la même ardeur et le même feu ?

Maman avait délégué Laura et David. Ils ne me lâchaient pas d'une semelle. Heureusement que papa était là. Il m'a sauvée plus d'une fois, disant qu'on finirait par me rendre complètement abrutie si ça continuait. Il disait à maman que les vacances étaient faites pour se reposer et profiter de la mer. On y allait le dimanche. Maman préparait le colombo à la maison avec Tatie Flora, la sœur de papa. Et puis on partait vers la plage de La Perle, à Deshaies. On se baignait, on jouait au ballon et on dégustait le bon colombo.

Pendant ces vacances, maman a souvent eu envie de bananes plantains. La veille de la rentrée des classes, elle nous a appris qu'elle attendait un enfant.

Chapitre 2

Ça y est ! J'étais dans le secondaire ! Un grand bâtiment blanc percé de centaines de fenêtres où collégiens et lycéens se retrouvaient pour le meilleur et pour le pire. Un gigantesque paquebot, identique à celui que j'avais vu, un jour, accoster sur le quai de Pointe-à-Pitre. Un paquebot duquel ne surgissaient pas des touristes américains, mais des milliers d'enfants : des grands, des petits, des gros, des maigres, des peureux, des chefs de bandes, des filles et des garçons, du noir le plus foncé au blanc le plus transparent. Un paquebot qui ne partait pas pour une croisière de rêve dans les Caraïbes mais restait là, vaisseau fantôme, embourbé au milieu des champs de cannes, enfermé derrière de solides grilles.

Laura et David connaissaient le chemin par cœur. Deux kilomètres. Maman m'avait confiée à leurs bons soins. D'une même voix, calme et posée, ils m'avaient expliqué le fonctionnement du collège. « Si tu ne comprends pas quelque chose, tu viens nous voir pendant la récréation. » Et ils m'avaient plantée là, au milieu de la cour, pour aller rejoindre leurs amis.

Bon, je ne me suis pas sentie perdue trop longtemps. J'ai d'abord aperçu trois filles mal à l'aise : Nelly, Gladys et Marianne. Elles essayaient de prendre des airs de grandes, un peu blasées. Nelly s'était maquillée et avait verni ses ongles en violet. Gladys était perchée sur des talons d'au moins sept centimètres. Quant à Marianne, elle avait changé ses nattes du CM2 contre une coiffure digne de Janet Jackson ; on aurait dit qu'elle portait une perruque. Par-ci, par-là, j'ai repéré la plupart des élèves de mon ancienne école. On a fini par tous se retrouver, s'agglutinant les uns aux autres pareils aux poussins d'une même couvée égarés dans la jungle. Lorsque les surveillants ont commencé à nous séparer, à nous arracher les uns aux autres, à nous éparpiller aux quatre coins du paquebot, nous avons eu le sentiment que nos routes se séparaient à jamais. Advienne que pourra… Nous nous reverrons aux récréations.

Si, vu de l'extérieur, le bâtiment (collège et lycée réunis) avait tout d'un flambant paquebot, les salles de classe n'étaient pas des palaces. À côté de cartes de géographie, couvrant mal la peinture des murs qui s'écaillait par plaques jaunâtres, s'affichaient les chefs-d'œuvre en péril des élèves qui nous avaient précédés. Dessins ici, poèmes là, règles de grammaire à gauche, tables de multiplication à droite. Les pupitres étaient quant à eux lardés de coups de compas, maculés d'écrits au stylo et de taches d'encre de diverses couleurs. En criant et en bousculant les chaises, les durs de ma classe se révélaient déjà, tentant d'asservir les plus faibles qui – vaincus d'avance – courbaient la tête, comme pour laisser passer le gros vent d'un cyclone. Quand le défilé des professeurs commença, tout le monde se tut. Alors, les paroles de maman se mirent à bourdonner à mes oreilles. « Tu as bien travaillé pendant les vacances, Cynthia. Tu as maintenant un bon niveau et même de l'avance en anglais.

Accroche-toi, ma fille ! Cesse de rêver et tu y arriveras ! »

*

Je n'avais pas envie de cesser de rêver, mais – l'entraînement aidant – je me suis accrochée, telle une naufragée du grand paquebot blanc à un radeau de fortune. Tandis que le ventre de maman s'arrondissait doucement, je flottais sur une moyenne honorable au premier trimestre. J'aimais surtout les cours d'anglais.

Dès le premier jour, *Mister* John Douglas, notre professeur, entreprit de nous raconter sa vie. Né à Saint-Kitts, il avait vécu deux ans en Haïti pendant son enfance. Ensuite, il avait fait ses études à la Jamaïque où il n'avait pas manqué de rencontrer Bob Marley. Puis, il avait travaillé en tant qu'interprète à Sainte-Lucie, journaliste à Trinidad et guide touristique à La Barbade. Il avait piloté un avion à Nevis et ouvert un salon de coiffure à Belize. Un peu musicien, il jouait de la batterie, *drums*, et avait donné plusieurs concerts à Puerto Rico et en République dominicaine. Il avait tenté de créer une radio indépendante à Curaçao et de gérer une galerie de peinture à Grenade. Il avait failli se marier à Antigua avec une certaine Margareth Daven, et Mike Spencer, son ami de Saint-Kitts, vivait à la Dominique. Il avait appris le français à la Martinique…

— Et pourquoi vous êtes venu en Guadeloupe ? coupa un garçon assis au premier rang, montrant du doigt tous les noms des îles qu'au fur et à mesure John Douglas avait écrits au tableau.

— Parce que je veux connaître la Caraïbe comme le fond de ma poche. Comment t'appelles-tu ?

— Francky Durdant.

Je regardai ce Francky Durdant avec étonnement et curiosité. D'où pouvait-il bien sortir ? Il avait une petite figure ronde. Ses cheveux n'étaient pas peignés. Il se grattait la tête toutes les trois secondes.

— Eh bien ! Francky, commença John Douglas, tu n'as pas envie de connaître la Caraïbe ! *The Caribbean !* Tu n'es pas curieux d'aller voir ces gens qui vivent autour de toi, *you know*… Tous ces peuples qui parlent des langues qui te sont étrangères, *english, spanish*…

— Mais, reprit Francky qui semblait plus que dubitatif, vous avez fait plusieurs métiers… Pourquoi vous êtes devenu prof ? Vous auriez dû continuer dans l'aviation ou bien devenir un grand musicien. Je pense que c'est quand même des boulots plus marrants…

— Je ne suis pas devenu prof, Francky. *To be a teacher*, c'est un moment de ma vie. Une expérience, tu comprends… Je suis un voyageur, *traveller*. Je ne sais pas encore où je serai l'année prochaine, *next year*…

— Moi, je préfère aller en France ou en Amérique, lâcha une voix venue du fond de la classe.

— Comment t'appelles-tu ?

— Je m'appelle Ingrid Faveau.

La classe entière se tourna d'un même mouvement vers cette Ingrid Faveau qui s'était levée et se lançait dans une grande tirade. Derrière ses petites lunettes cerclées de rouge, ses yeux papillonnaient tellement qu'on aurait dit qu'ils allaient s'envoler. Deux grosses nattes garnies de perles multicolores pendaient sur ses oreilles.

— Je pense que la Caraïbe est trop petite. Nous vivons déjà sur une île minuscule. Nous devons aller sur les continents. L'Europe, l'Amérique… Paris, New York… Mon grand-père a…

— *Well !* Eh bien, Ingrid, considère que tu es dans un cercle. (John traça un rond au tableau. Au milieu, il fit un point qui représentait Ingrid Faveau.) Le monde est immense autour de toi. Est-ce que tu ne penses pas qu'il faut d'abord commencer par découvrir et connaître ce qui t'entoure avant d'aller explorer les bords lointains de ce monde ? *You see !* C'est comme si… Tu es une terrienne, *earthling*, n'est-ce pas ?

Ingrid opina du chef.

— C'est comme si tu ne t'intéressais pas aux terriens, que tu n'accordais d'importance qu'aux extraterrestres, aux *aliens*. (Il écrivit le mot au tableau à côté de tous les autres mots anglais déjà inscrits.) J'ai fait quelques grands voyages à travers le monde, *a lot of travels*, en Europe, en Afrique et en Amérique. J'aime communiquer, rencontrer des gens, entendre de nouvelles langues… Mais je ne crois pas qu'un habitant d'une île minuscule des Caraïbes soit moins intéressant qu'un New-Yorkais ou qu'un Parisien, n'est-ce pas ?…

À la fin de l'heure, *Mister* Douglas nous promit de faire son possible pour nous emmener dans une île des Petites Antilles. Conquis, tous les élèves applaudirent. Je dois dire que ce premier cours resta longtemps bien clair dans ma mémoire. Je n'avais qu'à fermer les yeux, je revoyais instantanément la grande carcasse de John Douglas marcher entre les pupitres, aller à son bureau, écrire au tableau, lever les yeux au plafond. Je me rappelais son pantalon de lin bleu, sa chemise de coton blanc, ses orteils dans ses sandalettes marron. J'entendais aussi son accent et sa voix forte qui portait des mots anglais et français mélangés.

*

Juste avant Noël, John Douglas nous informa qu'il avait pris des contacts avec un professeur de Montserrat. Nous partirions là-bas à Pâques. Nous serions logés dans des familles, à Plymouth, la capitale. Alizé, l'association du collège, prenait en charge quatre-vingts pour cent des frais du voyage. Une contribution de trois cents francs serait demandée aux parents. Si certains élèves avaient des difficultés, ils devaient prévenir John. Au mois d'août, les enfants, *children*, qui nous avaient reçus viendraient en Guadeloupe à leur tour.

Parmi les professeurs, John était vraiment notre préféré. Il ne faisait rien comme les autres et nous lui en étions reconnaissants. Avec le prof de français, la fête battait son plein. Les papiers volaient au-dessus de nos têtes. Les conversations ne s'interrompaient jamais. Madame Richardin n'avait pas la carrure. On avait l'impression qu'elle était prête à tout moment à fondre en larmes. En sciences de la vie et de la terre, avec Monsieur Biraut, nous étions tenus d'apprendre nos leçons sur le bout des doigts ; il convoquait les parents à la moindre incartade. En histoire et géographie, nous avions Mademoiselle Françoise Duplessis. Bretonne, fraîchement débarquée en Guadeloupe, elle arrivait dans nos cœurs en seconde position après *Mister* John Douglas.

Elle était perpétuellement émerveillée par les paysages, le ciel, la lumière du jour, les couchers de soleil, la beauté des plages, la variété des fruits et des plantes. Elle corrigeait nos devoirs en bronzant sur la plage. Notre prof de maths, Madame Michelle Fangeart, était martiniquaise. Elle roulait dans une Mercedes climatisée. Elle nous appelait par nos noms de famille, ne rigolait jamais et donnait ses cours en caressant l'énorme collier en or – chaîne-forçat – qu'elle portait autour du cou. Quant au prof d'EPS, Monsieur Garan, que tous les collégiens appelaient « *Misyé* Gaga », il attendait sa retraite. « Plus qu'un an à vous supporter ! Allez, bande de fainéants ! Sautez ! Courez ! Grimpez ! »

Quand j'ai su qu'on irait à Montserrat, j'ai tout de suite pensé à Père Francis. Je continuais à le voir le mercredi après-midi, mais on passait beaucoup moins de temps ensemble à regarder les champs de cannes et la mer. Maman tenait à ce que j'aille à la bibliothèque avec les jumeaux et je ne voulais pas la contrarier. Papa m'avait soufflé que c'était très mauvais de contrarier une femme enceinte. Selon lui, l'enfant qui était dans son ventre ressentait et entendait tout. Elle devait accoucher au début du mois de mars et son ventre était déjà devenu bien encombrant à Noël. Dans le secret de mon cœur, j'espérais que ce bébé ne serait pas un *alien*… et, surtout, qu'il n'y en aurait pas deux…

Lorsque je lui ai annoncé la bonne nouvelle, Père Francis se trouvait dans son jardin, cueillant des pamplemousses. Il resta un moment silencieux, immobile sur son échelle. Puis, il piocha un pamplemousse dans son panier et me l'envoya, sèchement, comme on fait une passe au basket.

— T'as vraiment de la chance de partir pour Montserrat, Cynthia. Vraiment de la chance…

Son visage était triste, et les rides qui barraient son front semblaient soudain marquer l'amertume plutôt que la vieillesse.

— Ça te fait quel âge maintenant, Cynthia ?

— Douze ans…

— Tu te rends compte ! J'en ai bientôt soixante et onze. Je vais plus tarder à mourir et je connaîtrai pas Montserrat…

Je ne savais pas quoi dire, alors j'ai commencé

à jongler avec le pamplemousse. J'étais peinée de voir que mon vieux jumeau ne partageait pas ma joie. Ce n'était pas ma faute s'il n'avait jamais pu réaliser son rêve, s'il s'était endetté avec ses champs de cannes. Qu'est-ce que je pouvais faire contre ça ? Il descendit de l'échelle sans un mot. Son visage me parut lourd de reproches.

— Je ferai des photos et tu pourras voir à quoi ressemble Montserrat, Père Francis…

— T'avise pas de faire ça, tu m'entends ! Tu te fiches de moi, hein… Qu'est-ce que tu veux que je foute avec des photos de Montserrat ? Tant pis pour moi qui suis un vieux corps tellement attaché à sa terre et qui a jamais pu traverser la mer. Allez, va chercher un sachet à la cuisine. Tu prendras trois-quatre pamplemousses pour ta maman…

Je me sentais triste pour lui. Je trouvais la vie vraiment très injuste.

Chapitre 3

Pendant les vacances de Noël, je pris plaisir à réviser mes cours d'anglais. Avant de m'endormir, je lisais et relisais les pages de mon livre, cherchant les mots inconnus dans mon *Harrap's*. Je voulais posséder le maximum de vocabulaire. Le matin, au petit-déjeuner, je demandais à Laura et à David s'ils savaient ce que signifiait tel ou tel mot. Maman n'en revenait pas. « Je suis fière de toi ! » disait-elle, caressant son ventre rond comme la plus grosse des calebasses du jardin de Père Francis. « Je suis vraiment fière de toi, ma Cynthia ! En plus, tu as une mémoire phénoménale. Tu vas parler l'anglais couramment quand tu seras à Montserrat. Tes professeurs sont contents de ton travail, surtout ton prof d'anglais.

Meilleure élève en anglais ! Tu vois qu'on a bien fait de prendre le taureau par les cornes... Si tu continues sur ta lancée, tu pourras faire quelque chose de ta vie... »

Papa m'adressait un petit clin d'œil en avalant son café. Il n'avait pas l'air aussi surpris que maman. Je crois qu'il ne se tracassait pas trop pour mon avenir. Il n'était pas allé très loin dans les études. Ses parents étaient morts quand il avait sept ans et il avait été élevé par sa grande sœur, Tatie Flora, qui tenait un *lolo** au bourg de Sainte-Rose. Il me répétait toujours que les gens de bonne volonté finissent par réussir. Il avait été coupeur de cannes sur la plantation Duberry, vendeur de tissus à Basse-Terre, chez le Libanais Khoury, et peintre en bâtiment avant de se retrouver pompiste dans une station essence à Pointe-Noire. Un jour, il avait décidé que ce métier lui plaisait bien. Tatie Flora lui avait avancé un peu d'argent, il avait emprunté à la banque, et c'est ainsi qu'il était devenu gérant d'une station *Shell*.

Maman avait les traits tirés et se traînait dans

---

* *Lolo* : petite boutique, épicerie créole.

la maison en tenant son ventre à deux mains. Le docteur lui avait ordonné de se reposer. Il était question qu'elle arrête de travailler en janvier. Cela faisait longtemps que je n'avais pas entendu la petite phrase « Je ne comprends pas ce qui ne marche pas chez toi, Cynthia... Cesse de rêver... ».

Je n'avais pas cessé de rêver. Le soir, sitôt refermé mon livre d'anglais, j'embarquais dans la charrette de Père Francis. Il pointait sa torche sur mon visage, sûrement pour s'assurer de l'identité de sa passagère. Puis, il hochait la tête et empoignait fermement les rênes de son attelage. Des milliers d'étoiles scintillaient sur le drap noir du ciel. Une lune souriante éclairait notre route. D'un pas lent, les bœufs empruntaient d'abord le chemin de la sucrerie. Petit à petit, encouragés par leur maître, ils accéléraient la cadence, galopaient. Au bout d'un moment, des ailes se formaient sur leurs flancs. Quatre grandes ailes rousses comme leur poil. Le souffle rauque, de la fumée sortant des nasaux, ils prenaient leur élan. Enfin, leurs sabots s'arrachaient de la route, pédalaient dans le vide. D'un coup, nous volions. Père Francis me regardait du coin de l'œil, riant et pleurant à moitié, surpris lui-même par ce prodige. Et, tandis que nous passions à deux doigts d'une très grosse étoile, il s'écriait : « Tu vois qu'on y est arrivé ! À soixante et onze ans, Seigneur !… Enfin, je vais connaître Montserrat ! » Nous traversions d'épais nuages noirâtres. Nous croisions des avions et des familles entières d'oiseaux migrateurs. En nous penchant pour regarder sous notre carrosse, nous pouvions voir des centaines de points lumineux, des bateaux sur la mer, la Guadeloupe qui s'éloignait, et Montserrat qui se rapprochait doucement. Une petite colonne de fumée s'échappait de la Soufrière…

*

Pour la fête de Noël, Tatie Flora était l'unique invitée et, en même temps, la cuisinière en chef. Laura et moi étions ses assistantes. Au salon, embarrassée de son gros ventre, maman se reposait sur une chaise longue. Le dîner fut superbe : boudin, cochon et pois du bois, sorbet au coco et gâteau pistache, mais l'ambiance était morose.

Maman faisait un pauvre sourire grimaçant. Les deux mains posées à plat sur son ventre qu'elle semblait protéger comme un trésor, maman n'était pas de la fête. Je sentais bien qu'elle n'attendait qu'une chose : se retrouver dans son lit, loin de nous et seule avec ce méchant bébé qui l'empêchait de rire, de chanter, de marcher et de manger. J'ai ouvert mon cadeau en songeant avec nostalgie au Noël de l'année précédente. Je rêvais de ces rollers depuis bien longtemps, pourtant ma joie était toute ratatinée, toute moisie. Mais j'ai souri, du même sourire forcé que maman. J'ai embrassé tout le monde. Et puis j'ai dit que j'avais sommeil. Sans essayer les rollers, je suis allée me coucher, laissant les jumeaux feuilleter les volumes de leur énorme encyclopédie.

Heureusement, juste avant la rentrée des classes, Ingrid Faveau m'a invitée chez elle. C'était son anniversaire. Là, je me suis vraiment amusée. Toute la classe était conviée à la fête. Et… Surprise ! *Mister* John Douglas. Il arriva, *cool*, accompagné d'un *rasta man*, au volant d'une vieille jeep. Ils étaient vêtus de chemisettes et de pantalons taillés dans un tissu africain orange et vert. *Mister* Douglas fit les présentations. Musicien professionnel, Roy était un de ses plus vieux amis. Originaire de Sainte-Lucie, il vivait à Londres depuis une dizaine d'années. De passage en Guadeloupe, il s'envolait le surlendemain pour Miami, pour une *jam-session*. Tout d'abord, nous regardâmes avec méfiance ce curieux Roy. Il ne comprenait pas le français et souriait à la ronde, apparemment ravi de se trouver convié à la fête d'une enfant de onze ans, balançant son grand corps d'une jambe sur l'autre. Avec sa dégaine, ses longues *dreadlocks*, ses colliers de cauris flottant autour de son cou, sa bague en argent à l'effigie du négus Hailé Sélassié, il ressemblait aux rastas vendeurs d'herbe qui rôdaient devant le collège et contre lesquels les surveillants nous mettaient en garde…

Une heure plus tard, nos craintes s'étaient évanouies et nous étions conquis. John à la guitare et Roy aux *drums* étaient de sacrés musiciens. Ils connaissaient par cœur le répertoire de Bob Marley et avaient donné ensemble des concerts à Puerto Rico. Roy composait et interprétait aussi ses propres mélodies. Nous étions impressionnés de le voir étreindre sa guitare, crier, chanter et sauter sur place, les yeux fermés, secouant la tête frénétiquement, suant à grosses gouttes et nous invitant à reprendre avec lui les couplets, à danser et sauter. Grâce à eux, la fête d'Ingrid fut géniale. C'était la première fois que je passais minuit sans mes parents, sans Laura et David. Pour la première fois de ma vie, je me sentais grande et libre.

À une heure du matin, la mère d'Ingrid me ramena à la maison. Sans mentir, je me voyais comme une princesse au retour d'un bal. Pendant la soirée, Francky m'avait souvent invitée à danser et il m'avait même murmuré que je lui plaisais depuis le premier jour ; il n'avait jamais osé me l'avouer. Je lui avais répondu : « T'es complètement fou, Francky Durdant ! » Pourtant, je n'avais pas pu m'empêcher de sourire lorsqu'il avait pris ma main. Mon cœur s'était mis à battre très, très fort.

En passant devant la case de Père Francis, un rai de lumière filtrait entre les volets clos. J'eus un petit pincement au cœur. Il ne dormait pas, à une heure du matin. Est-ce qu'il songeait à Montserrat ?

Et voilà ! L'année 1994 était passée. On était en janvier 1995 et il fallait déjà reprendre le chemin du collège. Le grand bâtiment ressemblait toujours au paquebot blanc échoué au milieu des champs de cannes, cependant les passagers m'étaient devenus plus familiers. Laura m'avait fait des nattes tressées avec des fils bleus. J'avais de nouvelles baskets, un jean tout neuf et un T-shirt *Nike*. Je me sentais prête à affronter le deuxième trimestre qui devait se terminer en apothéose, avec le séjour linguistique à Montserrat.

J'ai aperçu Francky et mon cœur s'est emballé. J'ai fait comme si je ne l'avais pas vu. J'ai continué à discuter avec Marianne et Gladys, mes anciennes copines du CM2. Marianne trouvait ma coiffure géniale. Elle avait troqué sa coupe de Janet Jackson contre une multitude de fausses nattes blondes attachées en queue de cheval. Gladys avait abandonné ses talons hauts du premier trimestre. Elle avait complètement changé de *look*. Un bandana rouge attaché autour de la tête, elle portait un énorme sweat-shirt rouge sur lequel était écrit UNIVERSITY, un pantalon de jogging rouge XXL et des baskets *Reebok* rouges. Gladys était *red*, de la tête aux pieds (sauf son sac à dos, *green*), mais cela n'avait pas l'air de lui poser le moindre problème. Elles m'ont parlé de Nelly qui tournait mal, fréquentait une bande de voyous du collège. Tout le monde racontait qu'elle s'était mise à fumer de l'herbe. Et puis, la cloche a sonné.

Au premier cours, on avait Madame Fangeart, la prof de maths. Francky était assis à côté de moi. Nous n'avons pas échangé un mot pendant l'heure. Après, nous avons eu histoire, avec Mademoiselle Duplessis. Elle avait discuté avec notre prof d'anglais, et ils avaient convenu qu'elle ajouterait un peu d'histoire de la Caraïbe à notre programme scolaire du deuxième trimestre. Notre séjour linguistique à Montserrat était maintenant officiel et nous devions le préparer au mieux. En attendant, nous avons replongé dans la Seconde Guerre mondiale. La cloche a sonné au moment où le maréchal Pétain instaurait le régime de Vichy, le 10 juillet 1940.

— Je te paie un sandwich !

Tandis que les élèves fuyaient la salle en quatrième vitesse, Francky semblait vissé sur sa chaise et rangeait ses stylos un à un, lentement, dans sa trousse.

— Hein !

— Je te paie un sandwich…

J'ai dit oui et il s'est levé d'un bond. En moins de deux, nous avons dévalé les escaliers pour aller faire la queue devant *Snack-Paradise*, la vieille camionnette dégoulinante de rouille de Madame Michaux. On trouvait là toutes sortes de sodas, des sandwiches à la morue, au maquereau, au jambon, au fromage, des *dankits* au poulet et au bœuf, et surtout des jus de fruits – « du fait maison et bien frais ! » précisait la patronne. J'ai commandé un jus de papaye et un sandwich à la morue. Francky a choisi un *dankit* au poulet et un *Coca-Cola*.

— C'était bien la fête chez Ingrid, non ?

— Ouais, super !…

— Ouais, super ! répéta-t-il en se grattant la tête.

Bien sûr, on pensait tous les deux à sa déclaration d'amour. Mais, pour l'instant, il valait mieux se lancer dans une conversation moins gênante.

La récréation durait à peine vingt minutes. Il fallait trouver un autre sujet.

— C'est aujourd'hui que *Mister* Douglas doit nous donner les noms de nos correspondants à Montserrat...

— Ouais, et les adresses aussi...

— Tu es content d'aller à Montserrat ?

— Bof ! C'est minuscule, il paraît...

— Tu es comme Ingrid, tu préfères l'Amérique ou la France...

— Non, c'est pas ça. Je veux dire que c'est pas l'endroit où je rêve d'aller. L'année dernière, il y a une classe qui est partie à Miami... Bon, il est sympa, John, mais...

Je l'ai tout de suite arrêté.

— Tu sais, Francky, je connais un vieux monsieur qui aimerait bien être à ta place. C'est le rêve de sa vie. Son seul grand rêve : aller à Montserrat avant de mourir. Il a soixante et onze ans, tu te rends compte ! Et il n'a jamais pris le bateau ou l'avion. Il n'a jamais quitté la Guadeloupe...

La cloche tinta à cet instant précis, ce qui évita à Francky de me répondre. Les groupes d'élèves se dispersèrent. Côte à côte, silencieux, nous marchâmes d'un pas long vers notre salle. Francky semblait contrarié, et moi, je me sentais de nouveau triste et impuissante à réaliser le rêve de Père Francis. Et puis, au moment de reprendre nos places pour le cours de Monsieur Biraut, Francky se gratta la tête.

— Ben ! Pourquoi tu demandes pas au prof de l'emmener avec nous ? Y a pas d'âge pour faire des séjours linguistiques.

Je me suis lâchée sur ma chaise comme une vieille serpillière.

— Tu rigoles ou quoi !

— Ben non ! John nous a dit qu'il avait des contacts. Il suffit de trouver une famille d'accueil de plus pour ton vieux bonhomme…

— Il s'appelle Francis.

— Ça te coûte rien de demander au prof pour Francis. De toute façon, il…

— De toute façon, quoi ? rugit Monsieur Biraut. Vous voulez que je convoque vos parents, vous deux ? (Il se tenait juste devant nous, avec son air des plus mauvais jours.) Ouvrez vos cahiers ! Et que je ne vous entende plus !

À midi, accompagné de Francky – qui ne me quittait plus –, j'ai retrouvé Laura et David à la cantine. Je voulais savoir si c'était possible de demander ce service à un prof. Surtout que, depuis la fête d'Ingrid, il nous avait dit de laisser tomber le *Mister* Douglas ; nous pouvions l'appeler John et même le tutoyer. Laura et David se sont concertés un instant, sans paroles. Puis, ils m'ont dit que *Mister* Douglas leur semblait tout à fait capable d'entendre ce genre de propos, même s'ils ne me garantissaient pas à cent pour cent la réponse.

Le cours d'anglais tombait en dernière heure. Pendant la récréation de l'après-midi, avec Francky, nous avons encore parlé de Père Francis. Ingrid, Samuel et Jessy sont venus se mêler à la conversation. Ingrid nous a confié que cette histoire lui rappelait son grand-père qui était mort sans réaliser son rêve de marcher sur les trottoirs de New York, au bas des gratte-ciel. Elle en avait les larmes aux yeux. C'est alors que Samuel a lancé l'idée d'une collecte dans le collège.

— Un franc par-ci, un franc par-là. Au bout du compte, ça fait une sacrée somme. Le prix d'un billet de bateau pour Montserrat ne coûte pas si cher que ça… On peut même demander aux surveillants et à Madame Michaux qui ne pourrait pas vivre si on ne lui achetait pas des jus et des sandwiches…

— Et puis, on pourrait faire des petits boulots ! proposa Jessy.

— Quel genre de petits boulots ? demanda Ingrid.

— Je sais pas… garder des enfants, laver les voitures des parents, tondre la pelouse… Heu !… C'est comme ça que je gagne mon argent de poche. Pendant les vacances, je fais réviser les enfants de ma tante. Il y en a un au CP et l'autre au CE1. Elle me paie assez bien. Je garderai l'argent pour le voyage de Monsieur Francis.

Jessy n'était pas vraiment ma copine. Je l'avais toujours trouvée prétentieuse. Elle était la première de la classe. Son père était pédiatre et, à la voir, on aurait pensé que c'était elle qui avait fait dix ans de médecine. Elle ne portait que des vêtements de marque. Son idée de petits boulots et sa surprenante générosité la firent remonter d'un bond dans mon estime.

Mister Douglas était en retard. Ingrid en

profita. Elle se planta devant le bureau du prof, demanda le silence et se mit à raconter la tragédie de son grand-père et puis celle de Père Francis. Je pense vraiment qu'elle a un don pour les histoires. En l'écoutant, même les garçons les plus coriaces semblaient émus. Tous brûlaient maintenant d'envie de connaître Père Francis, de l'aider à réaliser son vieux rêve, *his old dream*... J'étais perdue dans mes pensées quand on me passa une feuille qui circulait déjà de table en table. En haut, quelqu'un avait écrit en rouge « PROJET MONTSERRAT – PÈRE FRANCIS ». Pour la récolte des fonds, chacun avait sa petite idée qu'il avait inscrite face à son nom, avec application, langue tirée et stylo au galop.

C'est dans cette ambiance que, dix minutes plus tard, déboula *Mister* Douglas, John.

Chapitre 4

Au début, papa a dit non. Même pour la bonne cause, il n'imaginait pas une seconde sa fille en train de laver les pare-brise des autos tandis que les clients faisaient le plein. Non ! non ! non ! Penser à sa fille, la main tendue pour une pièce… Non ! non ! non ! Se figurer Cynthia sous les regards rigolards de Gustave et des autres pompistes lui paraissait carrément intolérable. Non ! non ! non ! La station était un endroit dangereux ! Les voitures démarraient en trombe… Les énormes camions allaient m'écraser, les vapeurs d'essence m'intoxiquer… Sans compter que, si je ne faisais pas attention, je me brûlerais les jambes aux pots d'échappement des motos… Et puis, quelqu'un pourrait m'embarquer dans une voiture alors que tout le monde regardait ailleurs. Enfin, dernière nouvelle, des voyous traînaient dans le coin. Ils n'hésiteraient pas à me faire fumer de l'herbe…

Je pense que cela lui rappelait trop le temps où il courait de petits boulots amers en petits boulots ingrats. J'ai eu beau insister, il ne semblait pas prêt à revenir sur sa décision. Mais je m'étais engagée, comme tous les élèves de ma classe. Sur la feuille « PROJET MONTSERRAT-PÈRE FRANCIS », j'avais inscrit : lavage de pare-brise (station *Shell*). Je ne savais plus comment faire pour gagner des sous. Ingrid tenait la caisse. Jessy lui avait déjà remis quinze francs, Madame Michaux vingt francs, et l'argent commençait à arriver des surveillants. Pièce après pièce, doucement mais sûrement, la cagnotte grossissait.

Laura et David sont venus à mon secours et ont fini par convaincre papa, lui disant qu'ils m'avaient encouragée à parler de Père Francis à mon professeur d'anglais. David proposa de m'accompagner à la station trois samedis après-midi. Et il promit de veiller sur moi. De son côté, Laura s'engagea à me faire réciter mes leçons et à m'aider pour mes devoirs.

— Votre maman ne doit être au courant de rien, hein ! Si elle apprend que vous lavez les pare-brise à la station, elle ne me le pardonnera pas, soupira papa. Il ne faut pas la contrarier, à cause de son état…

Cette conversation se tenait dans le jardin, très loin des oreilles de maman. Elle ne travaillait plus depuis le début du mois. Le médecin lui avait demandé de rester allongée toute la journée et de ne rien faire d'autre qu'attendre la venue du bébé.

Environ deux semaines après la rentrée de janvier, tous les élèves avaient entendu l'histoire du Père Francis qui allait partir en séjour linguistique avec les petits de la classe de sixième de *Mister* Douglas. John était à présent une star. Et moi, j'étais la toute petite étoile, *little star*, qui flottait dans son ombre. La cagnotte grossissait.

John, puisque nous l'appelions maintenant tous ainsi, avait immédiatement accepté que Francis soit du voyage. Notre projet lui semblait légitime, digne des enfants de *Caribbean*. Après un échange de coups de téléphone entre la Guadeloupe et Montserrat, Francis avait sa famille d'accueil. Une dame de soixante-cinq ans, institutrice à la retraite et, *old maid*, vieille fille, de son état. Elle s'appelait *Miss* Stacy Kentucky. Depuis la mort de sa mère, elle vivait seule dans une *big house* de Plymouth. D'après le contact de John, Stacy se réjouissait à l'idée de recevoir un *French* de la Caraïbe.

*

— Il faut que ce soit une surprise ! répéta Ingrid.

— C'est quand même Cynthia qui nous a raconté l'histoire de Père Francis.

— Oui, d'accord ! Mais maintenant toute la classe est concernée. Elle ne doit pas lui en parler. On ira ensemble. On lui annoncera la nouvelle ensemble. On cotise ensemble, oui ou non ?! Alors, on est dans le même bateau… Elle ne doit rien dire avant mercredi prochain. On y va mercredi, c'est bientôt…

— Ça fait un mois qu'elle passe devant chez lui trois ou quatre fois par jour, lâcha Francky, vous croyez que c'est facile pour elle de faire semblant…

Francky me comprenait et ça me réchauffait le cœur. Ces derniers temps, j'avais évité Père Francis, prétextant des leçons à apprendre et un emploi du temps très chargé. Je ne mentais qu'à moitié. Les samedis après-midi passés à la station avec David n'étaient pas vraiment passionnants. On faisait de grands sourires aux conducteurs. Pendant qu'on lavait le pare-brise, on mettait en route la phrase apprise par cœur : « C'est pour une œuvre humanitaire. Pour payer un billet de bateau à un vieux monsieur de Guadeloupe qui n'a jamais vu Montserrat. Bla-bla-bla… Merci de votre générosité… » Quand il n'y avait pas de clients, on s'asseyait entre les pompes à essence, on mangeait un *frozen* ou on buvait un soda. Ça me faisait drôle de me retrouver en tête à tête avec David. Je l'avais pour moi toute seule et il ne semblait pas s'ennuyer. Je n'avais pas non plus l'impression que Laura lui manquait. Il n'avait jamais beaucoup fréquenté Père Francis, alors il était curieux de mieux le connaître et me posait des tas de questions. Je lui racontais nos conversations, lui expliquais que nous pouvions rester de longues minutes silencieux, à regarder les champs de cannes, la mer et l'île de Montserrat. David me dévisageait bizarrement, avec étonnement, comme s'il me voyait pour la première fois.

Le deuxième dimanche de février, Père Francis m'avait appelée de l'autre côté de la barrière. Il avait demandé si je boudais.

— Eh ben, Cynthia ! On dirait que t'es fâchée avec moi depuis l'autre fois. Tu sais, quand je t'ai dit que ça m'intéressait pas de voir Montserrat en photo. Tu veux plus causer comme avant ? On dirait que je suis devenu un pestiféré… Au moins, viens prendre des fruits dans le jardin. Faut pas m'en vouloir, ma Cynthia… Tu sais, je suis un vieux nègre sauvage et fatigué. Je suis content pour toi. Je te mens pas, je suis vraiment content que t'ailles voir Montserrat.

J'étais mal à l'aise, prête à tout lui raconter, mais j'avais donné ma parole.

— Non, c'est pas ça. Je viendrai mercredi, je te promets. J'ai plein de travail en ce moment. Maman ne fait plus rien. Elle est couchée toute la journée. Je dois l'aider, tu comprends. Mercredi, je serai là vers trois heures. Tu m'attends, hein…

Maman n'était toujours pas au courant de notre activité humanitaire. Depuis qu'elle ne travaillait plus, on se débrouillait comme on pouvait. Laura, David et moi, nous mangions le midi à la cantine. Papa déjeunait dans un petit restaurant situé à deux pas de la station. Et chaque jour, la jeune fille qui travaillait avec Tatie Flora apportait son repas à maman. Le soir, on préparait des salades, on mangeait des œufs sur le plat. Des amies de maman venaient la voir dans l'après-midi. Elles discutaient de layette et de biberons. Tatie Flora passait le week-end avec nous. Elle cuisinait toujours le même plat – le préféré de papa. Riz blanc, pois rouges, ignames *pakala* et viande de cochon roussie. Elle repassait un peu de linge tout en faisant la conversation à maman, lui racontant les dernières nouvelles fraîches, prenant surtout bien garde à ne pas lui annoncer de catastrophes et à ne pas parler de mon petit job à la station…

J'allais souvent voir maman dans sa chambre. Je posais la main sur son gros ventre pour sentir remuer le bébé sous mes doigts. Elle s'inquiétait : « J'espère que tu arrives à t'en sortir sans moi.

Encore un petit peu de patience, ma chérie. Ta petite sœur Betsy sera bientôt là. » Parfois, je détestais le bébé. Je me demandais ce qui était passé par la tête de mes parents. Est-ce que maman ne réfléchissait pas ? Est-ce qu'elle n'avait pas déjà assez de travail avec nous trois, sans compter papa ? Elle se plaignait d'avoir trop de boulot avec nous. Elle disait qu'on lui menait la vie dure, qu'on l'épuisait jour après jour, qu'elle serait vieille avant l'heure. Papa, quant à lui, semblait ravi. Il oubliait qu'il se lamentait de ne pouvoir mettre des sous de côté, s'arrachait les cheveux quand les factures arrivaient, grognait qu'on lui coûtait trop d'argent chaque fois qu'on faisait des courses au supermarché. Avec ce bébé, je pensais maintenant qu'on allait se serrer la ceinture, très, très serré. Ce serait le temps des vaches maigres, et on aurait beau prendre le taureau par les cornes, on ne pourrait pas s'en sortir. Maman vieillirait encore plus vite et papa finirait par perdre tous ses cheveux. Et puis, moi, à douze ans, qu'est-ce que je ferais avec un bébé sur les bras, alors que je ne jouais plus à la poupée depuis… des siècles ?! D'autres fois, j'imaginais que ce bébé grandirait, deviendrait ma sœur préférée, et qu'au fil du temps elle serait ma jumelle.

Maman fut la première personne à qui je lus la lettre de Shirley Humphrey, ma correspondante de Montserrat. Elle avait douze ans. Son père était *policeman*, et sa mère, *hairdresser*, tenait le plus grand salon de coiffure de Plymouth, *Beauty & Style*. Shirley était fille unique et attendait mon arrivée avec enthousiasme. Son *boyfriend* s'appelait Bruce Abbott et il était champion de base-ball. Est-ce que je pouvais lui écrire que mon *boyfriend* était Francky Durdant ?

Enfin, le fameux mercredi arriva. John nous avait donné rendez-vous à quatorze heures trente devant le paquebot. Ingrid en tête, nous parcourûmes les deux kilomètres en moins de vingt minutes. Je me sentais mal à l'aise, tandis que tous semblaient euphoriques et fiévreux à l'idée de jouer les bienfaiteurs. Et si Père Francis se fâchait ? Je le savais imprévisible. Et s'il refusait notre cadeau ? Et s'il jugeait qu'être hébergé chez une vieille Anglaise de Montserrat était indigne de lui ? Et s'il nous chassait ? Est-ce qu'il aimait les surprises ? Est-ce que ça n'allait pas lui faire un choc ? Est-ce que son vieux cœur tiendrait le coup ? Est-ce qu'il n'…

Je n'avais pas fini de me poser des questions que nous étions déjà devant sa case. Assis à l'ombre de la véranda, Père Francis était en train d'affûter son coutelas. Francky prit ma main.

— On y va, Cynthia. C'est toi qu'il connaît…

J'avançai d'un pas, mais restai muette. Les mots s'entassaient au fond de ma gorge. Pas un ne voulait sortir.

— Bonjour *Mister* Francis ! lança John.

— Bonjour *Mister* Francis ! reprirent en chœur les élèves.

— Bien le bonjour, répondit Père Francis, dévisageant un à un les vingt-cinq enfants qui avaient envahi sa cour.

D'abord, il n'avait pas compris. Chacun évoquait sa contribution en criant pour se faire entendre, et tout se mélangeait : les cours particuliers de Jessy, les sous récoltés par Samuel, les vingt francs de Madame Michaux, les cent francs de Madame Richardin, le lavage des pare-brise à la station essence, les petits jobs ici et là, le nettoyage de voitures, les gardes de bébés, le repassage, le ramassage des feuilles mortes, les ménages, les courses pour les voisins…

Au bout d'un moment, John demanda le silence et lâcha une phrase très simple, compréhensible enfin. « Vous êtes notre invité à Montserrat. »

Père Francis ne m'avait pas quittée des yeux pendant que les élèves s'époumonaient à qui mieux mieux. Son visage marquait l'étonnement et ses yeux me demandaient : « Qu'est-ce que ça veut dire toutes ces paroles en désordre, Cynthia ? Et toi, pourquoi tu dis rien ? »

John se tut. Un grand silence tomba sur la cour. Les élèves semblaient avoir d'un coup épuisé leurs stocks de mots. Pas une feuille ne bougeait dans les arbres, à croire qu'elles avaient tout compris avant Père Francis. On aurait dit qu'elles ne respiraient plus et étaient maintenant suspendues à ses lèvres. Pas un souffle de vent. Pas le moindre zonzon de moustique. Père Francis tremblait. Tout son corps tremblait. Il était resté assis à la même place, mais on avait l'impression qu'il était ébranlé de l'intérieur, prêt à s'effondrer, pareil à une très vieille case secouée par un tremblement de terre. Sa bouche était agitée de tics nerveux. Ses dents claquaient. Ses yeux brillaient intensément. Et tandis que des larmes coulaient sur ses joues, un grand sourire remonta les rides amères qui scarifiaient son visage. Alors, d'un bond, il se leva, empoignant son coutelas. Il sauta au bas des trois marches de sa véranda et se planta devant nous, le coutelas à bout de bras. Un instant, nos regards se croisèrent. Puis, il courut derrière la case, traversa le jardin et s'arrêta net à l'endroit où la vue sur Montserrat était imprenable.

Chapitre 5

Les vacances de Pâques approchaient à grands pas. Maman était entrée à l'hôpital. Nous attendions l'arrivée de Betsy d'un moment à l'autre. Le compte à rebours avait commencé pour les deux événements importants de cette année 1995. John en était à régler les derniers détails : le lieu et l'heure du rendez-vous de départ, le programme des dix jours à Montserrat, les papiers administratifs, le comptage des passeports… Trois professeurs nous accompagnaient : John, Françoise Duplessis, qui nous avait bien expliqué l'histoire de la Caraïbe, et Madame Richardin, la prof de français. Depuis qu'elle avait versé cent francs pour la cagnotte de Francis, la classe avait été fort impressionnée. On la chahutait beaucoup moins et elle avait repris un peu confiance en la vie.

J'avais déjà reçu cinq lettres de Shirley et, comme par hasard, son *boyfriend* Bruce Abbott était le correspondant de Francky... Je passais beaucoup de temps avec lui. Nous révisions ensemble pendant les heures d'études. Il était doué en maths et m'expliquait les leçons que je ne comprenais pas bien. Et puis, on se plongeait dans les pages de mon *Harrap's*, pour apprendre des mots nouveaux. Je ne peux pas dire qu'il était devenu réellement mon *boyfriend*, mais j'aimais être en sa compagnie. Il racontait qu'il rêvait de devenir astronaute et je l'en croyais bien capable. Moi, je ne savais toujours pas ce que je pourrais faire dans la vie. Peut-être professeur d'anglais...

Jessy aussi s'était rapprochée de moi. Je ne la trouvais plus du tout prétentieuse. Le samedi après-midi, elle venait parfois à la maison avec Ingrid et Samuel. Nous allions rendre visite à Père Francis qui préparait son grand voyage comme un pèlerinage. Le matin, on l'entendait chantonner et siffloter dans son jardin. Le soir, on pouvait le voir en train d'exécuter des exercices de musculation.

Il faisait surtout travailler son bras droit qui ne se tendait pas complètement à cause de l'accident de charrette.

Le billet de bateau aller-retour coûtait six cents francs. La cagnotte avait rapporté deux mille cinq cents francs. Avec une partie de l'argent, nous lui avions acheté cinq chemises, trois pantalons, un short, deux T-shirts, trois caleçons, une paire de mocassins, des sandalettes, deux serviettes de toilette et un flacon de parfum. Le reste constituait son argent de poche : quatre cents francs. Il disait qu'il avait une grosse dette envers nous. Comment pouvait-il nous rembourser ? Avec les fruits de son jardin et les promenades en charrette. Les élèves qui venaient le voir, pratiquement toute la classe, repartaient chez eux avec des sachets lourds de mangues, de pamplemousses, de citrons verts, d'avocats, de bananes, de prunes-Cythère... « Faut pas me dire merci ! ordonnait-il. C'est moi qui vous dois mille mercis ! À soixante et onze ans, vous vous rendez compte ! À soixante et onze ans, je vais enfin aller à Montserrat... » Pour les balades en charrette, il y avait une liste d'attente sur laquelle s'étaient inscrites Françoise Duplessis et Madame Richardin. Les élèves auraient pu embarquer à plusieurs à l'arrière, mais chacun voulait tenir les rênes et mener les bœufs. Au fil des sorties, Père Francis avait établi un petit circuit qui allait de sa case au bourg de Sainte-Rose, en passant par une visite de ses champs de cannes et un tour du côté de l'usine. Les apprentis cochers étaient fiers, et lui, à soixante et onze ans, avait tout d'un moniteur d'auto-école veillant à la manœuvre !

Miss Stacy Kentucky lui écrivait régulièrement. Il avait même reçu une photo. Elle posait devant le portail d'une grande maison en bois de style colonial. Son visage était à moitié voilé par l'ombre de son chapeau, mais Père Francis jurait que Stacy était une très jolie femme, plus belle que la majorité des Guadeloupéennes qu'il avait rencontrées dans toute sa vie. La photo trônait sur sa table de chevet. Ingrid, qui ne manquait pas d'imagination et lisait des romans d'amour en cachette, assurait qu'il devait la regarder longtemps avant de s'endormir parce qu'il avait l'air d'un amoureux. Avec l'aide de John, nous traduisions les lettres de Stacy. Pour les réponses, nous jetions en vrac les idées de Père Francis ; John était chargé de formuler de belles phrases. Les lettres commençaient toutes de la même manière :

Dear Stacy,
It was lovely to hear from you, and thank you so much for the invitation...

Et se terminaient par :

Look forward to seeing you soon
Your sincerly,
Francis

*

La veille du départ, ma nuit avait été agitée de cauchemars... Je voyais maman en train d'accoucher. Elle poussait des cris déchirants. Son corps était couché sur la mer comme une île montagneuse. Son énorme ventre s'était transformé en volcan. Son nombril crachait du feu, des cendres et des blocs de pierres brûlantes. Je me suis réveillée en larmes. Il était quatre heures du matin. Assise sur mon lit, j'ai regardé par la fenêtre. Rien ne bougeait dehors. J'ai tourné un peu dans la chambre. Et puis, j'ai ouvert ma valise. Tous mes vêtements étaient bien en place. J'ai pris mon *Harrap's*. J'ai feuilleté les pages machinalement, m'arrêtant ici et là sur des mots, *blanket, blind, custom, greed, itch, lifeguard, scar, skid…*

À six heures, j'étais déjà douchée, coiffée et habillée. J'avais traîné ma valise jusqu'à la voiture. J'étais en train de boire mon chocolat quand papa vint me rejoindre.

— Tu t'es levée drôlement tôt, Cynthia…

— J'ai fait un mauvais rêve.

Quand j'eus fini de lui raconter le cauchemar, papa se mit à rire.

— Tu as trop d'imagination, Cynthia. Je crois que les événements de ces derniers temps se télescopent dans ta petite tête. Ta maman va bien, ne t'inquiète pas…

— Les volcans se réveillent parfois ?

— Bien sûr, mais je crois que ceux de la Caraïbe sont bien endormis. Ils se réveilleront peut-être dans cinq cents ans. La Soufrière a fait des siennes en 1976. Tu n'étais pas encore née.

On a dû évacuer la Basse Terre. Les vulcanologues n'arrêtaient pas de se chamailler. Y en a qui pensaient que tout allait péter, et d'autres certifiaient qu'il n'y avait aucun risque d'éruption. Les derniers avaient raison. La vieille Dame Soufrière a craché des cendres pendant un bon bout de temps et elle s'est calmée. Depuis, on ne l'entend plus…

— À Montserrat aussi le volcan s'appelle la Soufrière.

— Oui, je sais… Bon, va voir si Père Francis se prépare. On part dans une heure.

Raide comme une statue, Père Francis était assis sous sa véranda, sa valise de toile écossaise posée à ses pieds. Il portait un costume noir, une chemise blanche et une étroite cravate verte. Ses chaussures noires étincelaient. Ses cheveux blancs étaient impeccablement brossés en arrière et il était rasé de près. Sitôt qu'il m'aperçut, un large sourire illumina son vieux visage.

À huit heures, pas un élève ne manquait à l'appel. Le petit port de pêche de Deshaies n'en revenait pas d'accueillir un si gros bateau, un

Hovercraft de deux cents places. Il faut dire que les liaisons entre Montserrat et la Guadeloupe n'étaient pas si fréquentes. Il fallait contacter un armateur pour organiser le voyage. D'autres passagers embarqués à Pointe-à-Pitre étaient déjà installés. Ils passaient la journée là-bas et rentraient le soir même.

La traversée dura deux heures.

Deux heures d'enfer pour Madame Richardin qui vomit son dîner et son petit-déjeuner durant toute la traversée.

Deux heures de bonheur pour nous. Pas un nuage dans le ciel traversé parfois d'un avion qui lâchait un long panache de fumée blanche. On pouvait aussi voir des oiseaux se croiser et tracer des lignes imaginaires sur le fond bleu, avant de piquer de la tête dans l'eau pour ramener un poisson vivant. Le bateau fendait la mer à toute allure et de grosses vagues se formaient dans son sillage. Ceux qui étaient restés sur le pont se retrouvèrent trempés de la tête aux pieds. Ça les fit rire. Trois dauphins vinrent nous saluer.

Un petit groupe s'était rassemblé autour de Françoise. Les élèves se rafraîchissaient la mémoire sur l'histoire de Montserrat... Découverte en 1493 par Christophe Colomb. Colonisée par les Anglais et les Irlandais en 1632. 1664, débarquement des premiers esclaves. 1783, la France conteste Montserrat à l'Angleterre. Le traité de Versailles légitime les Anglais. 1834, abolition de l'esclavage. 1871, l'île fait partie de la Fédération des îles Sous-le-Vent. 1956, la Fédération est dissoute, et Montserrat devient autonome. De 1958 à 1962, l'île est membre de la Fédération des Indes occidentales. En 1967, la population vote pour rester colonie britannique.

— Et que pouvez-vous me dire de la géographie ?

— Superficie : cent deux kilomètres carrés, souffla Samuel.

— Point culminant : Chances Peack, avec neuf cent quatorze mètres.

— C'est une île volcanique comme la Guadeloupe, lança Sophie.

John était resté avec nous aux côtés de Père Francis et de quelques élèves. Francky expliquait qu'il avait l'impression de partir à la découverte d'un nouveau monde ; il comprenait mieux pourquoi John nous encourageait à connaître nos voisins de la Caraïbe.

— C'est vrai, constatait Francky, ces gens sont descendants d'esclaves comme nous, mais ils parlent anglais parce qu'ils ont une histoire différente. Si les Anglais avaient mieux résisté, nous aussi en Guadeloupe on parlerait anglais.

— Oh, peut-être qu'avec des si on serait encore des Africains ! s'écria Ingrid.

— Et si vous aviez pas cotisé pour moi, je serais sûrement pas dans ce bateau avec vous. *A pa jè !* lança Père Francis.

— Et on parlerait pas créole, s'esclaffa Francky.

Père Francis se tenait droit comme un i. Son visage était serein, et son regard fixait un point au-dessus de nos têtes : l'île verte et montagneuse de Montserrat qui s'approchait au fur et à mesure.

— Bon, je vais voir la pauvre Madame Richardin. On l'a complètement oubliée, soupira Jessy.

À notre arrivée à Montserrat, trois douaniers nous attendaient au pied de la passerelle. Derrière une barrière de sécurité, des enfants en uniforme (chemisier blanc, jupe ou short bleu marine) agitaient une grande banderole sur laquelle était inscrit *Welcome to Montserrat*. Je reconnus immédiatement *Miss* Stacy Kentucky. Elle se tenait sous un parasol à volants auprès d'un homme et d'une femme qui devaient être les professeurs.

Les formalités ne prirent pas trop de temps. Très vite, nos correspondants nous appelèrent les uns après les autres, écorchant un peu nos noms français. Une demi-heure plus tard, affamés, nous étions éparpillés dans Plymouth. Au bras de *Miss* Stacy, Père Francis avait disparu dans la rue principale. John, Françoise et Madame Richardin étaient partis avec les professeurs. Le premier rendez-vous étant fixé l'après-midi même, nous devions nous retrouver à quatorze heures trente au collège.

*

Shirley Humphrey était venue avec sa mère. En voyant Shirley, j'ai tout de suite pensé à Marianne, car elle avait des plumes et des perles de toutes les couleurs dans ses fausses nattes. Elle portait un appareil pour redresser ses dents ; son sourire était métallique. Nous avons traversé une rue et nous nous sommes retrouvées devant le salon de coiffure, une case de guingois. L'enseigne *Hair & Style* était délavée et pendait au bout d'une chaîne rouillée. Je dois avouer que j'ai eu un choc. À cause des lettres de Shirley, j'avais imaginé un somptueux salon de coiffure. En fait, il n'était pas plus grand que ma chambre. Les casques étaient vétustes. Le plancher, incertain, était recouvert d'un lino usé. Posés sur une vieille table à côté d'un réchaud, des fers à friser montraient leurs vieilles dents cassées. Des serviettes trouées pendaient à des clous. Des photos arrachées à des magazines américains étaient placardées sur la cloison. Un unique lavabo ébréché attendait les clientes.

Plus tard, je compris que Plymouth était une toute petite ville, une minuscule capitale de trois mille cinq cents habitants. L'île comptait douze mille âmes tandis que plus de trois cent soixante mille personnes vivaient en Guadeloupe. Shirley m'expliqua aussi que le passage du cyclone *Hugo*, *hurricane*, en 1989, avait été terrible pour Montserrat. De nombreuses maisons avaient été endommagées et laissées en l'état, faute d'argent. Il y avait eu dix morts et des centaines de sans-abri, *homeless*. J'avais six ans quand ce même cyclone était passé en Guadeloupe. Je ne m'en souvenais pas trop. Je savais qu'il avait été dévastateur. Chez nous, je n'en voyais plus la trace dans les paysages.

Pendant que sa mère préparait des sandwiches, Shirley et moi essayions de nous comprendre. J'avais sorti de mon sac à dos mon minidico d'anglais. Shirley ne lâchait pas son petit carnet sur lequel elle écrivait les mots sitôt que je grimaçais. En Guadeloupe, j'avais parfois eu l'impression de parler anglais couramment parce que j'étais la meilleure de ma classe. Face à Shirley, je me rendais soudain compte que cette langue étrangère était comme une immense forêt vierge, impénétrable.

Chapitre 6

C'était la première fois que je voyais John en colère. D'abord, il avait écouté les élèves avec attention, ses sourcils se fronçant au fur et à mesure que la liste des plaintes et lamentations s'allongeait.

— La chambre est toute petite et le matelas est dur…

— Moi, je suis tombée dans une vieille case. Les W.-C. sont à l'extérieur… Ça pue…

— Ils m'ont donné à manger un sandwich au fromage pour mon déjeuner. Je meurs de faim.

— Y a même pas de supermarché !

— Moi, j'ai atterri chez des pauvres… Je vais dormir dans des draps rapiécés…

— Qu'est-ce qu'on fait dans cette galère ? Là où je suis, il y a même pas de télé !

— Et pas d'eau chaude pour se laver…

— Et moi, là où je suis, il y a un frigo à pétrole qui ferme avec un tendeur.

— Ils ont un cochon dans la cour…

— Taisez-vous ! souffla John.

Une colère froide plombait ses yeux. Son regard lançait des missiles. Ses mâchoires étaient crispées et ses lèvres tirées par un petit rictus. Il n'eut pas besoin de crier pour se faire comprendre et parla entre ses dents, à voix très basse. Il avait honte. Il était déçu et ne voulait surtout pas que les professeurs qui nous recevaient entendent ses propos. Nous nous trouvions au collège de Plymouth, dans une grande salle décorée de guirlandes en papier crépon et de banderoles *Welcome*.

— Comment pouvez-vous tenir de pareils discours ? Pour qui vous prenez-vous ? Comment osez-vous critiquer ces gens qui vous reçoivent si amicalement ? *You think*, vous avez l'impression d'être des riches, n'est-ce pas ? *So*, d'où vient cette richesse, cette prétention ? (John tremblait de rage.) Répondez-moi ! Vous êtes au-dessus des Caribéens ordinaires, c'est ça ? *Frenchies !* Vous vous sentez supérieurs aux autres ? *I think so, indeed. I'm sure of it... God !* Qui vous a mis ça dans la tête ?

Françoise lui tapota le dos gentiment, sans parvenir à l'apaiser.

— *What's the matter ?* On vous a parlé en anglais, *no* ?! Personne n'a rien à dire de positif ? Est-ce que vous avez pu échanger, *to speak english,* au moins ? J'ai l'impression d'avoir à faire à une bande de touristes nord-américains uniquement préoccupés de leur petit confort américain. Est-ce que quelqu'un peut dire une seule chose positive ?

Peu fiers, têtes baissées, les élèves faisaient cercle autour de John et de Françoise. Le silence devint oppressant.

— O.K. ! O.K. ! Les petits Français guadeloupéens, on va retourner au pays... *All right ! Bund of spoilt kids !* On reprend le bateau ce soir. Je ne veux surtout pas que vous ayez à souffrir de conditions de vie difficiles. O.K. ! C'est décidé. Ce soir, vous dormirez dans un bon lit et vous irez aux W.-C. chez *mummy and daddy...*

— Moi, je veux rester ici, s'écria Francky. J'ai rien dit contre ma famille d'accueil...

— Trop tard ! lâcha John.

— Non ! intervint Françoise en lui prenant le bras. C'est injuste, John ! Et puis, rien n'est organisé… On ne peut pas improviser un retour comme ça…

— *No ! Why not ?* Ces petits *Frenchies* ont une sale mentalité. Je n'attends plus rien d'eux, Françoise. L'année prochaine, je retourne à Saint-Kitts.

Sur ces mots, il sortit du groupe et rejoignit Madame Richardin. Remise de son mal de mer, inconsciente du drame qui se jouait à quelques mètres, elle discutait tranquillement avec l'un des professeurs qui nous avait accueillis à notre arrivée à Plymouth.

— Bruce m'a dit qu'on irait à Woodlands Beach et aussi à Runaway Ghaut, continua Francky.

— Ce soir, il n'y aura personne chez moi en Guadeloupe, souffla Ingrid. Mes parents sont partis en Martinique cet après-midi…

— Et Père Francis ! Personne ne pense plus à lui… Je suis sûre qu'il ne veut pas rentrer ce soir, lança Jessy.

C'était moi qui aurais dû prononcer cette phrase. Je n'avais pas osé. Même si ma voix ne s'était pas mêlée au concert des plaintes et lamentations, je me souvenais trop bien des pensées qui m'avaient assaillie dans le salon de coiffure de la mère de Shirley.

— Tu as raison, Jessy. Nous devons rester pour le Père Francis, déclara Françoise. Est-ce que quelqu'un veut retourner en Guadeloupe ce soir ?

En fait, personne ne voulait quitter Montserrat.

— Ce sont les filles qui se plaignent, fit Samuel.

— Menteur ! tonna Sophie.

— Bon, maintenant ça suffit. Je ne veux plus rien entendre concernant le confort. Vous avez bien compris ? John est furieux. Il a raison. Votre attitude est inacceptable…

John nous toisait , comme si nous étions des gens infréquentables. Il n'était pas très loin de la vérité.

Bien sûr, l'idée de rentrer le soir même en Guadeloupe fut abandonnée. Cependant, John demeura distant quelques jours, plus proche des profs anglais, laissant Françoise prendre les choses en main, répondre à nos questions, coordonner les activités. Madame Richardin s'occupait du programme général et des relations avec les familles d'accueil. Plus aucun problème de confort n'était apparu, et les rares qui se plaignaient encore par inadvertance étaient fuis comme la peste.

Le quatrième jour, nous nous rendîmes à Runaway Ghaut pour un pique-nique. Un endroit extraordinaire, avec des cascades et des chutes, des plantes géantes et tranquilles qui se balançaient dans l'alizé pareilles à des animaux imposants, indolents, inoffensifs. Les oiseaux chantaient et sifflaient, volant d'arbre en arbre, se cachant, se causant, se poursuivant. C'était la première fois que la beauté de la nature me touchait au cœur. Et je n'étais pas la seule. Les élèves, habituellement bruyants, se turent l'un après l'autre, sans que personne leur ait imposé le silence. J'ai cherché Francky dans le groupe. J'avais besoin d'être près de lui, de sentir sa main dans la mienne. J'avais l'impression que ce lieu était magique, que je pouvais faire un vœu, ou deux, ou trois, et qu'ils se réaliseraient tous. Je ne sais comment, Francky s'est soudain trouvé près de moi. Il m'a murmuré à l'oreille la légende de la fontaine que venait de lui raconter Bruce. Celui qui boit l'eau de la fontaine de Runaway Ghaut reviendra encore et encore à Montserrat. J'ai pris sa main et je l'ai serrée très fort. « Viens boire cette eau avec moi, Cynthia », a-t-il dit. Comme des somnambules, ensorcelés, nous avons marché, main dans la main, jusqu'à la fontaine.

Le soir, Shirley m'a dit que tous les élèves et les professeurs nous avaient regardés boire l'eau de la fontaine. « Il est difficile de ne pas voir que vous êtes *in love* », déclara-t-elle en triturant sa petite étoile en or accrochée à sa chaîne. Je lui ai dit que c'était vrai, j'étais amoureuse de Francky, et qu'à Runaway Ghaut je n'avais pas fait que boire l'eau de la fontaine, j'avais aussi fait le vœu de me marier avec Francky quand je serais grande.

Shirley était une fille très bavarde. Elle avait pris ça de son père. Dès qu'il revenait du travail, *Mister* Humphrey racontait en long et en large sa journée à sa femme. Sa vie de *policeman* avait l'air d'être très mouvementée. Parfois, j'étais submergée par un flot de mots incompréhensibles qui se croisaient, se saluaient, s'interpellaient, se chamaillaient et rigolaient, se lamentaient et pleurnichaient dans ma tête. Je touchais le fond. J'écarquillais les yeux, puis je les plissais. Je tendais les oreilles qui se transformaient en antennes paraboliques. Je me grattais la tête pour réveiller ma mémoire. De temps en temps, je m'accrochais à un mot connu, familier, ami, qui me faisait remonter à la surface. Alors, je répondais *Yes, yes…* Mes conversations avec Shirley avaient lieu principalement le soir. Nous étions couchées l'une à côté de l'autre dans son lit. Souvent, je somnolais tandis qu'elle continuait à causer. Si j'ouvrais un œil dans la nuit, je voyais étinceler ou s'agiter son appareil dentaire et j'imaginais qu'elle finirait par l'avaler à force de parler.

Je me suis fait beaucoup d'amis pendant ces

dix jours : Shirley, bien sûr, mais aussi Bruce, Oscar, Will, Donald, Peter, Sherryl, Pamela, Vince, Dyana, Ann… J'ai aussi pu apprécier la beauté de l'île. Je n'oublierais jamais la randonnée que nous avons faite avec *The Montserrat Forest Rangers* qui comparaient Montserrat à l'Irlande. Et puis cette visite de l'ancienne plantation *The Cot*, restaurée par *The Sturge Family*. Et puis les champs de mangos, de papayes, de cocotiers et de bananes sur les pentes et dans les vallées. Et puis aussi les vues superbes de Cassava Ghaut *in upper* Woodlands. Et tous ces oiseaux de Centre Hills : *quail, dove, mangrove cukoo, purple throated carib*, le *Montserrat oriole*, l'oiseau national. Et encore vers Silver Hills, au nord, les oiseaux : *pearly-eyed thrasher, the red-billed tropicbird.* Et les plages : Woodlands Beach, Lime Kiln Bay, Little Bay, Bunkum Bay et Rendez-vous Bay, la seule plage, *beach,* de sable blanc.

Je crois que nous avons dû faire des milliers de photos, partout et à toute heure. Si l'île de Montserrat était – dite – petite, elle était grande par les trésors naturels qu'elle recelait. Sa richesse apparaissait jour après jour à nos yeux. J'avais le sentiment que ce séjour à Montserrat était une étape qui nous ouvrait le monde. Notre regard avait changé et continuerait à changer. Nous nous rendions compte que la Guadeloupe n'était pas le centre du monde et que nous ne connaissions rien. Il fallait voyager encore et encore, regarder encore et encore, pour apprendre encore et encore…

Les jours filaient. La fin de notre séjour approchait à toute vitesse. Nous n'avions pas trop d'inquiétude au sujet de Père Francis que nous avions entraperçu à la plantation *The Cot*. Accompagné de *Miss* Stacy Kentucky, il n'avait pas du tout l'air embarrassé pour se faire comprendre et semblait être aux anges. Ils étaient si beaux ensemble que je les ai pris en photo. Comme s'ils nous fuyaient, ils ont disparu bien vite, nous faisant des petits signes de la main. J'étais un peu déçue. Père Francis n'avait guère paru heureux de nous revoir. Il n'avait participé à aucune de nos excursions. Plus tard, John nous expliqua que *Miss* Stacy préférait qu'il découvre Montserrat auprès d'elle. Mais Shirley nous rappela que *Miss* Stacy avait été institutrice. Elle était à la retraite depuis cinq ans et avait sûrement vu assez d'élèves dans sa vie…

John avait cessé de nous appeler les *Frenchies*. Souriant, l'avant-veille de notre retour vers la Guadeloupe, il vint nous annoncer que *Miss* Stacy organisait un gigantesque barbecue en notre honneur. La fête se ferait dans son jardin. Nous étions tous conviés ainsi que nos correspondants.

*

Shirley était tout à fait excitée. En me concentrant au maximum sur chaque mot, je compris que *Miss* Kentucky avait été l'institutrice de sa mère. L'enseignement de l'anglais était autrefois la priorité de la *Miss* qui avait toujours, à portée de main, une petite baguette taillée dans un bois d'acacia. Elle en usait avec modération, mais menaçait de s'en servir sitôt qu'un élève écorchait la langue de Shakespeare. *Mrs* Humphrey racontait encore que l'institutrice avait hérité sa maison de son père, un Anglais de Londres, arrivé à Montserrat autour de l'année 1920. Il avait épousé sa femme de chambre, la mère de *Miss* Kentucky.

Chargée par sa maman d'offrir à l'institutrice un énorme bouquet de fleurs, ainsi qu'un bon pour une permanente gratuite, Shirley resta un moment silencieuse devant le grand portail de fer forgé. Elle avait dans le regard la gravité de quelqu'un qui accomplit une mission d'extrême importance.

La maison de *Miss* Kentucky était immense comparée à celle des Humphrey. Pour nous rendre au jardin, situé derrière la maison, nous avons traversé des pièces emplies de meubles en bois d'acajou parés de napperons en dentelle. Dévisagés par un homme blanc et une femme noire enfermés dans des cadres dorés accrochés aux murs, nous avons marché sur un parquet vernis.

— Ce sont mes parents, Jim et Daisy, a lancé *Miss* Kentucky.

— Jim et Daisy, a répété Père Francis, l'air ahuri.

Ils se tenaient l'un à côté de l'autre, droits. Père Francis avait un sourire que je ne lui avais jamais vu.

— C'était un mariage d'amour. Jim Kentucky est né en Angleterre. Il a découvert Montserrat, il a aimé notre île. Il a rencontré ma mère, Daisy

Smith. Vous savez, il n'est jamais retourné dans son pays. Il est mort et enterré ici, dans le petit cimetière de Plymouth.

— Un mariage d'amour, a repris Père Francis, tout en regardant *Miss* Stacy, ou plutôt en la dévorant des yeux.

Miss Stacy assura qu'elle se souvenait très bien de *Mrs* Humphrey, autrefois Kelly White. Elle remercia Shirley de ses cadeaux et promit de venir se faire coiffer un de ces jours. *Miss* Stacy était vieille et son visage était ridé, mais elle était cependant très belle. Elle portait une robe beige en dentelle et des petits escarpins verts. Quant à Père Francis, il était simplement magnifique dans sa chemise blanche immaculée, arborant son sourire d'amoureux.

Situé derrière la maison, le jardin me rappela celui de Père Francis. Somptueux, avec des milliers de fleurs, de plantes et toutes variétés d'arbres fruitiers au pied desquels était déroulé un gazon impeccable, il s'étendait sur plus de mille mètres carrés. Des chaises longues en teck, des fauteuils en rotin et en plastique, des bancs en fer forgé étaient installés ici et là, autour du barbecue, sous les arbres, à l'ombre des bougainvilliers, des bananiers, des orangers…

Chapitre 7

Nous avons mangé et bu. Nous avons couru en slalomant entre les arbres. Nous avons cueilli des fleurs et inventé des jeux. Nous avons surtout parlé (en anglais et en français), raconté et écouté mille histoires plus étonnantes et captivantes les unes que les autres. J'ai été très fière de Père Francis quand, dans l'après-midi, avec force gestes, il mima son accident de charrette et les efforts qu'il avait dû déployer pour se dégager de l'amas de planches et de cannes à sucre. Et ramper, avec un bras cassé. Et attendre des secours en réconfortant ses bœufs qui tremblaient de peur. Tout le monde l'applaudit pour son courage et sa bravoure. *Miss* Stacy le regardait avec admiration, semblable à une princesse éblouie face à son chevalier.

Je ne sais plus qui a lancé le mot cyclone. Je crois qu'après l'histoire de Père Francis on avait tous envie d'évoquer des catastrophes plus terribles encore. Les souvenirs fusèrent aussitôt. En 1989, le passage de *Hugo* avait causé autant de ravages à Montserrat qu'à la Guadeloupe. Les élèves étaient des bébés à l'époque, mais chacun rapportait un souvenir qui venait grossir les montagnes de peur que nous bâtissions pierre après pierre. Un toit arraché ici. Une famille emportée par les vents qui soufflaient à deux cent quatre-vingts kilomètres à l'heure. Là, des canots de pêcheurs soulevés par les lames hautes et crachés dans la forêt. Des arbres immenses cassés comme des jouets. Et aussi les rues transformées en torrents de boue charriant des animaux domestiques noyés, des matelas pareils à des radeaux de fortune, des vélos, des autos… Tout cela nous rapprochait. Nous avions des souvenirs communs.

Puis, *Miss* Stacy enchaîna sur les tremblements de terre qui s'étaient produits à Montserrat en janvier 1992 et en juin 1994. À l'entendre, la Soufrière pouvait vraiment se réveiller un de ces jours. Le sujet n'était pas très gai. Heureusement, elle se mit à causer de la fête de la Saint-Patrick, qui avait lieu chaque année le 17 mars. Les gens défilaient et dansaient dans la rue jusqu'au lendemain matin. Vers six heures du soir, nous avons quitté *Miss* Stacy et Père Francis avec regret, nous disant que cette journée resterait à jamais gravée dans nos mémoires.

Cette nuit-là, j'ai de nouveau fait un cauchemar, peut-être à cause des paroles de *Miss* Stacy. La Soufrière crachait des cendres et du feu. La mer était rouge sang et brûlante. Je me suis réveillée en sursaut. La chambre était plongée dans l'obscurité mais, heureusement, l'appareil dentaire de Shirley étincelait, tel un phare dans la nuit. Quand je me suis rendormie, j'ai rêvé du bébé Betsy. Je n'avais pas eu de nouvelles de ma famille. Est-ce que maman avait déjà accouché ? Est-ce que tout allait bien chez moi ? Est-ce qu'ils avaient envie de me revoir ? Est-ce que je leur manquais ?

Le lendemain, veille de notre départ, nous avions quartier libre. Aucune activité, pas de cours d'anglais, pas de randonnées, pas de visites…

Shirley et moi avons un peu traîné au lit. Vers

dix heures, elle m'a annoncé qu'elle avait une surprise. On s'est préparées en vitesse et on a pris la petite rue qui menait en cinq minutes au salon de coiffure de sa mère. Quand *Mrs* Humphrey m'a invitée à m'asseoir en me tendant un paquet de magazines américains, j'ai compris que je devais choisir une coiffure. Maman trouvait que j'étais trop jeune pour me défriser les cheveux. Est-ce que j'allais la contrarier ? Oui ! Sans aucune hésitation… Je me suis arrêtée sur une coupe carrée. La mère de Shirley a sorti ses crèmes, les a mélangées, puis a commencé à me tartiner la tête. Au bout de deux heures, j'étais une autre Cynthia. Maintenant, je me donnais facilement quatorze ans et demi. J'avais une belle frange et mes cheveux raides, noirs et brillants encadraient mon visage comme ceux d'une princesse égyptienne.

Après avoir déjeuné d'un sandwich au fromage, nous avons rejoint Bruce et Francky au bord de la mer. C'était pas la peine d'être Einstein pour comprendre que Francky détestait ma coiffure. L'air désabusé, il me dévisageait avec de gros yeux, se grattant la tête toutes les cinq minutes. J'étais en colère, j'avais l'impression de voir mon père, quand maman se pavanait dans une robe qu'il n'aimait pas, trop décolletée ou trop courte. Au bout d'un moment, entraînés par Bruce et Shirley qui ne cessaient de rigoler, nous avons quand même retrouvé un peu de sérénité.

La mer et le ciel étaient pratiquement du même bleu. Des paquebots passaient au loin, majestueux et inaccessibles. De grands oiseaux blancs tournaient au-dessus de nos têtes. L'alizé soufflait dans mes cheveux et les faisait voler. Je pense que Francky a commencé à s'habituer doucement à ma coiffure. Une heure plus tard, il souriait de nouveau. Alors, nous nous sommes promenés main dans la main sur la plage, ramassant du sable et des coquillages, pour ramener un peu de Montserrat en Guadeloupe. Bien sûr, nous étions tristes à l'idée de partir, mais ce n'était qu'un au revoir. Nous allions les retrouver bientôt, en août, dans cinq mois à peine. Et puis, nous avons promis à Bruce et à Shirley de revenir à Montserrat. Après tout, nous avions bu l'eau de la fontaine de Runaway Ghaut. Et si la légende ne mentait pas, rien ne nous empêcherait de retourner à Montserrat…

*

Deux semaines après notre arrivée en Guadeloupe, nous avons exposé nos photos dans la salle polyvalente du paquebot. C'est ce même jour que maman a accouché.

Betsy pesait quatre kilos et mesurait cinquante-quatre centimètres. C'était un gros bébé vorace qui accaparait tout le temps de maman. Le jour et la nuit… Le jour, il fallait la nourrir, préparer les biberons, la laver des pieds à la tête avec des gestes très doux, l'habiller, brosser ses cheveux ridicules, la bercer pour l'endormir, lui donner des petites tapes dans le dos jusqu'à ce qu'elle rote, changer ses couches quand elle avait fait pipi ou caca. La nuit, Betsy se réveillait et nous réveillait tous. Elle se mettait à hurler comme si quelqu'un était en train de l'égorger. Il fallait de nouveau lui préparer un biberon, attendre qu'elle fasse son rot. Il fallait de nouveau changer sa couche et la bercer en priant pour qu'elle s'endorme au plus tôt.

Dans les rares moments où Betsy n'exigeait rien, dormait enfin tranquillement dans son berceau, maman ne cessait de penser à elle, de parler d'elle, de s'inquiéter pour elle. Est-ce qu'elle s'intéressait encore à moi ? Ma nouvelle coiffure ? Je ne sais même pas si elle l'avait remarquée… Rien ni personne ne la passionnait hormis Betsy, son bébé chéri, sa poupée magique, son merveilleux soleil, son trésor d'amour… Incroyable, mais vrai, elle allait la voir toutes les deux minutes et souriait béatement en la regardant ronfler et baver. Souvent, elle me lâchait au beau milieu d'une conversation, m'écoutait à moitié quand je lui parlais, et c'était pareil avec papa et les jumeaux… Non, bien sûr, je n'étais pas jalouse. Betsy ne savait ni parler ni marcher. Elle n'avait pas d'amis, ne connaissait rien du monde… Moi, j'avais des amis en Guadeloupe et à Montserrat. J'avais un copain. J'étais sûre de passer en cinquième avec les encouragements de mes professeurs. Je parlais créole, anglais et français. Mes cheveux étaient défrisés et j'étais capable de me coiffer toute seule. Et surtout, je ne faisais pas caca et pipi dans mes culottes.

À chaque fois que je recevais une lettre de Shirley, j'avais un petit pincement au cœur. Il me semblait avoir vécu à Montserrat les plus beaux jours de ma vie. Je m'en étais rendu compte seulement à mon retour en Guadeloupe. Plus le temps passait, plus les souvenirs affluaient, en embellissant au fur et à mesure. J'attendais le mois d'août avec impatience et je comptais les jours. J'allais revoir Shirley et tous mes amis. Ils devaient arriver le 17 août.

Père Francis attendait aussi. Chaque matin, il guettait le passage du facteur qui lui apportait les lettres parfumées de *Miss* Kentucky. Je me souviens de cette attente comme une drôle de parenthèse dans nos vies. À la fois enthousiasmante et douloureuse. Père Francis était de nouveau mon jumeau. Attendre ensemble nous rendait fébriles, lunatiques et joyeux dans la complicité.

Depuis notre retour, il avait entrepris des travaux de restauration de sa case. Il était enjoué et comme rajeuni. Il se levait à cinq heures du matin pour arracher les vieilles planches et en clouer de nouvelles. Il cognait, et sciait, et rabotait en sifflotant ou en chantant de vieilles chansons d'amour en créole. Son raffut réveillait Betsy qui se mettait à hurler. Maman pestait. À plusieurs reprises, elle alla le voir, lui demandant de cesser ce tapage matinal qui traumatisait son petit bébé chéri. Père Francis répondit qu'il attendait une visite pour le mois d'août et que sa maison devait être prête, qu'il n'avait que deux bras et quatre mois. Il fit cependant l'effort de commencer à cogner à six heures au lieu de cinq.

Quand les travaux de peinture débutèrent, nous étions déjà en juillet. Les grandes vacances avaient commencé. Maman n'avait pas pensé à m'acheter les fameux cahiers qui avaient été mon pain quotidien les années précédentes. Elle était tellement absorbée par son bébé Betsy qu'elle ne s'aperçut même pas que je passais le plus clair de mon temps chez Père Francis. Je n'étais pas la seule. Francky, Sophie, Jessy, Samuel et bien d'autres rappliquèrent armés de pinceaux. Et puis, avec un de ses amis, John consacra deux week-ends à peindre le toit. Il craignait que Père Francis ne se rompe le cou. Il y avait du boulot, mais heureusement de nombreux apprentis peintres. Le 15 juillet, la case de Père Francis était méconnais-sable. Pimpante, rose et blanche, elle apparaissait comme un joyau dans son écrin de verdure. Le soir, il s'asseyait sous sa véranda et contemplait son œuvre en pensant à *Miss* Kentucky et en comptant les jours…

*

Le matin du 18 juillet, j'étais dans la cuisine en train de donner son biberon à Betsy quand on a parlé de Montserrat à la radio. J'ai tendu l'oreille. Le journaliste disait que la Soufrière s'était réveillée. Des cendres tombaient sur Plymouth.

Papa m'a dit en souriant :

— Fais pas cette tête, Cynthia, c'est pas grave. Ces satanés volcans ont toujours besoin de nous rappeler qu'ils existent, même s'ils ont passé l'âge de cracher du feu. C'est comme les vieux chiens qui aboient dans la nuit pour faire peur aux voleurs, alors qu'ils n'ont plus de dents, ne peuvent même plus courir et tremblent de trouille. Tu n'étais pas née mais, en 1976, notre Soufrière a fait pire que ça, Cynthia. Tous les gens de la Basse Terre ont été évacués. Et pour rien du tout, crois-moi…

Ce n'était pas dans mes habitudes, mais j'ai passé la matinée à écouter les informations à la radio. L'après-midi, je suis allée voir Père Francis. Il avait entendu la nouvelle et était encore plus inquiet que moi. Alors j'ai essayé de le rassurer.

— Ça ne les empêchera pas de venir, Père Francis. Ils seront là dans un mois. La Soufrière aura le temps de se calmer.

— Tu es sûre ?

— Eh bien… le volcan va se rendormir. C'est papa qui me l'a dit.

— Tu crois qu'il suffit d'avoir envie d'une chose pour qu'elle se réalise. J'ai fait un mauvais rêve, Cynthia…

— Oh non ! Toi aussi tu fais des cauchemars…

— J'ai rêvé qu'elle ne venait pas…

— Qui ?

— *Miss* Stacy.

J'ai éclaté de rire.

— Ne ris pas, ma fille ! a crié Père Francis.

*

Le 12 août, la Soufrière de Montserrat fit de

nouveau parler d'elle. Le volcan lâchait de la vapeur brûlante comme la Cocotte-Minute de maman. Des cendres pleuvaient sur Plymouth.

Le 13 août, la terre trembla. C'est, je crois, ce jour-là que j'ai compris que ce volcan n'était pas un chien édenté qui aboyait dans la nuit.

Le 16 août, *Miss* Stacy téléphona à Père Francis. Elle lui dit que les vulcanologues prédisaient le pire. Ils attendaient une catastrophe. Le séjour linguistique était annulé.

Chapitre 8

Père Francis avait raison. Les rêves ne se réalisent pas si facilement. C'était injuste. Il n'y avait rien à faire. Sinon attendre et espérer que la Soufrière cesse de s'énerver. Hélas, les nouvelles tombaient chaque jour un peu plus alarmantes. Papa avait beau me répéter que tout rentrerait bientôt dans l'ordre, je ne le croyais plus. Il mentait, cherchait à me rassurer, juste pour gagner du temps. Je l'écoutais et le questionnais sans relâche, le poussant à s'enfoncer jusqu'au cou dans ses explications mensongères et compliquées.

C'était devenu un jeu étrange entre nous.

— Tu es sûr que la Soufrière se calmera bientôt, papa ? demandais-je.

— Fais-moi confiance, Cynthia, répondait-il.

— Pourquoi tu en es si sûr ? Tu oublies la montagne Pelée ! Quand elle s'est réveillée en 1802, elle a tué des milliers de gens en Martinique…

— Cynthia ! Cynthia ! reprenait-il d'un air très las… La science a fait des pas de géant. Aujourd'hui, il y a des techniques qui n'existaient pas autrefois…

— D'accord, mais personne ne peut empêcher un volcan d'entrer en éruption, même les plus grands savants…

— Je t'ai dit qu'elle se calmera, Cynthia !

— Tu me promets qu'elle se calmera ! suppliais-je.

— Je te le promets, ma fille. Allez ! Ne sois pas si inquiète. Elle fait son intéressante, cette Soufrière de Montserrat. Je ne lui donne pas trois mois avant qu'elle ne se rendorme.

— Promis !

— Promis !

Je ne sais pas pourquoi mon père s'est entêté à nier la terrible vérité qui nous arrivait par dépêches et flashes chaque jour à la radio. Peut-être me considérait-il comme un bébé incapable d'affronter et de supporter la dureté de la vie ? Même quand les alizés ont soufflé des cendres jusqu'en Guadeloupe, il a continué à refuser la triste réalité. Parfois, je finissais par le croire. Jamais très longtemps… Alors, je lui en voulais sérieusement de m'avoir donné de l'espoir. J'avais l'impression qu'il était un traître et que je ne pourrais plus jamais lui faire confiance. Où va le monde si vous ne pouvez plus vous fier à votre propre père ? D'autres fois, j'avais pitié de lui et froid dans le dos en imaginant le volcan crachant des roches en feu, les gens brûlés courant jusqu'à la mer brûlante.

Le 21 août, une grande éruption se produisit, libérant un énorme nuage de cendres. Plymouth se trouva plongé dans la nuit noire pendant plus de quinze minutes. C'est à partir de ce jour que la population commença à fuir Montserrat.

Où était Shirley ? Peut-être s'était-elle réfugiée au nord de l'île avec ses parents. Mes lettres étaient toutes restées sans réponses.

Le 23 août, je revis Plymouth au journal télévisé du soir. On aurait dit une ville fantôme recouverte d'une épaisse poussière. La cendre s'était répandue partout, en couches grisâtres, sur les voitures et les toits des maisons, dans les arbres et dans les cheveux, mêlée au sable et à l'air. Je n'aperçus aucun visage connu. De toute façon, les gens qui se risquaient dans la rue marchaient avec des masques et des foulards sur la figure. Chacun de leurs pas soulevait cette cendre qui voletait et s'en allait se déposer un peu plus loin. « On croirait un paysage lunaire, a dit maman d'un air désolé. Mon Dieu ! C'est horrible ! Que vont devenir ces pauvres gens ? Il faut prier Dieu pour eux, Cynthia… » J'étais assise à côté d'elle, sur le canapé. Elle a passé son bras autour de moi et m'a embrassée sur le front. Et puis, on s'est regardées dans les yeux, longtemps, sans sourciller. On ne s'est pas dit un mot. C'était comme si on se retrouvait après une longue séparation. Je reconnaissais enfin ma maman. Et si Betsy avait pleuré à cet instant précis, l'obligeant à m'abandonner, je crois que je n'aurais pas été fâchée.

Les vacances étaient presque finies. Contrairement à Laura et David, je n'avais pas fait un seul devoir, ni appris de leçons, ni révisé mes règles de grammaire ou mes tables de multiplication, ni lu un livre. Cependant, j'étais devenue une fidèle des informations. Je ne ratais ni celles du matin à la radio ni celles du soir à la télévision. Au début, je m'intéressais principalement à Montserrat. Puis, petit à petit, j'en vins à découvrir le reste du monde. À chaque instant, il se passe quelque chose sur la terre… C'est ce que j'ai appris durant ce mois d'août 1995. Un fleuve déborde. Un ouragan se déchaîne. Un volcan se réveille. La sécheresse et la famine tuent. Un président est élu. Une bombe éclate. Un record du monde est battu. Une invention est annoncée. Une baleine s'échoue sur une plage. La guerre et la misère tuent. Des gens fuient leur maison, leur village, leur pays. D'autres manifestent dans la rue, pleurent et chantent, rient et dansent, pour la paix ou la guerre, dans des pays que je ne connaîtrais sûrement jamais, dans des langues qui me seront toujours étrangères…

Le 28 août, toute notre classe se retrouva chez Père Francis. John, qui était à l'origine de cette réunion, avait personnellement téléphoné à chacun des élèves. Il avait paru mystérieux. Qu'allait-il nous annoncer? Voulait-il nous parler de Montserrat? Avait-il des nouvelles de nos correspondants? Peut-être des informations secrètes à nous révéler? Nous étions contents de nous revoir, mais surtout tristes et malheureux pour nos amis de Plymouth. Que deviendraient-ils si le volcan ne cessait pas de projeter des cendres? Quand donc se calmerait cette terrible Soufrière? Et si le volcan de Guadeloupe se réveillait à son tour? Et si tous les volcans des Antilles se mettaient en colère? Où irions-nous? Des centaines de scénarios s'échafaudaient, tous plus catastrophiques et dramatiques les uns que les autres. À la vitesse de l'éclair, Montserrat disparaissait dans l'explosion du volcan, s'enfonçait doucement dans la mer, puis devenait une cité engloutie peuplée de fantômes squelettiques et de requins voraces.

Silencieux, Père Francis nous écoutait d'un air désolé. Son regard s'arrêtait sur l'un ou l'autre d'entre nous, puis se fixait sur un point, à l'horizon, de l'autre côté de la mer, sur l'île de Montserrat cachée dans la brume et la cendre.

La veille, j'étais allée lui rendre visite. Montrant sa case pimpante dans sa robe de peinture rose et blanche, il avait murmuré : « À quoi ça a servi de faire tout ça ? De se fatiguer inutilement ? Elle viendra jamais, *Miss* Kentucky. Elle m'a reçu chez elle comme si j'étais un roi. Je ne suis même pas capable de lui rendre la pareille. Tu te souviens de ce que je t'ai dit : Les rêves ne se… »

Je lui avais tout de suite coupé la parole. « Tu te trompes ! Je sais déjà ce que tu vas me raconter et je ne veux pas l'entendre. Tu oublies que tu as pu réaliser ton rêve ! Tu es allé à Montserrat ! Oui ou non ? Ton rêve s'est réalisé, oui ou non ? Et grâce à qui ? Tu n'as pas déboursé un sou alors que tu es riche ! » Il avait ouvert de grands yeux.

J'avais continué : « Oui, tu es riche ! Plus riche que nous tous… Tu possèdes des hectares et des hectares de terres ! À quoi ça te sert de les garder si tu vis dans la misère ? Tu es vieux, tu n'as même plus la force de travailler, tu n'as pas d'héritier… Tu n'as qu'à vendre quelques terres… Pourquoi tu ne vas pas la sauver, *Miss* Kentucky, si tu l'aimes tant que ça ? »

Son regard se voila d'une grande tristesse. « Tu te trompes. Je ne suis pas riche, Cynthia. J'ai des dettes. Et, crois-moi, c'est pas du jour au lendemain que je pourrai vendre des terres. » Maman m'appelait de l'autre côté de la barrière. Heureuse d'échapper à cette conversation qui ne menait nulle part, je dis au revoir à Père Francis, et je me mis à courir à toute allure vers la maison, comme si un *soucougnan* me poursuivait.

Je m'étais assise à côté de Francky Durdant, parmi un groupe d'élèves. En attendant l'arrivée de John, j'ai écouté d'une oreille distraite les récits de vacances des uns et des autres. Avant le 17 août, j'avais revu Francky à plusieurs reprises. D'abord en juillet, quand il avait participé aux travaux de peinture de la case de Père Francis. Ensuite, maman avait accepté qu'il passe toute une journée avec moi. C'est grâce à lui que j'ai commencé à jouer avec ma petite sœur. Francky la trouvait géniale. Il la faisait rire avec d'horribles grimaces et d'incroyables gesticulations.

Après le 17 août, il m'avait téléphoné, m'annonçant qu'il partait en Grande Terre, chez une de ses tantes. Sa mère l'avait obligé à y aller pour profiter des derniers jours de vacances et prendre des bains de mer. Francky m'avait envoyé une carte postale sur laquelle il écrivait que je lui manquais. Il espérait qu'on se retrouverait dans la même cinquième à la rentrée. Il disait aussi son inquiétude pour nos amis de Montserrat.

John arriva enfin. Il avait près d'une heure de retard. Il souriait. Non, il ne voulait pas nous parler de Montserrat, mais simplement nous dire adieu. Il ne serait pas avec nous à la rentrée. Il était content de lui. Il allait rejoindre son groupe aux États-Unis. Son départ s'était décidé très rapidement, nous assura-t-il, après un échange de coups de fil aux quatre coins du monde. Il se réjouissait d'avance. Il renonçait à l'enseignement et pensait consacrer les prochaines années de sa vie à la musique.

Quand il se tut, le silence envahit la case de Père Francis. Interloqués, sonnés comme des boxeurs, nous nous sommes regardés les uns les autres avec, dans les yeux, un sentiment d'incompréhension mêlé de déception.

— Et Montserrat ? demanda une voix scanda-
lisée qui parlait en notre nom à tous.

John pensait à sa musique alors qu'un volcan
menaçait nos amis. Est-ce que John avait un
cœur ? Est-ce que ce John qui nous parlait était
le même qui nous avait ouvert les yeux sur nos
voisins de la Caraïbe ? Non, c'était impossible !
Comment pouvait-il s'en aller si loin, souriant,
tranquille, pendant qu'une catastrophe menaçait
nos correspondants ?

— Est-ce qu'ils vont mourir ?

— Comment on va faire pour avoir des
nouvelles ?

— Alors, on les oublie ? lança Jessy d'un air
dégoûté.

— Est-ce que l'île disparaîtra à jamais ?

— Est-ce que le volcan va tous les tuer ?

— Est-ce que Montserrat deviendra une île
déserte ?

John partait aux États-Unis, nous abandonnait
à nous-mêmes et à nos questions, après nous avoir
appris l'amitié… Il partait, comme si de rien
n'était, sans état d'âme, sans émotion. Il tournait
la page…

— C'est la vie, dit-il. Je ne peux rien faire, sinon attendre comme tout le monde... Nous sommes impuissants.

— Et que vont-ils devenir ? Et *Miss* Stacy ? demanda Père Francis.

— Certains sont déjà partis au nord de l'île, d'autres ont rejoint leur famille en Angleterre, au Canada, en Amérique ou dans d'autres îles des Caraïbes... C'est la vie.

— Et comment allons-nous avoir des nouvelles ?

— Écrivez ! Continuez à leur écrire ! répondit John.

— Et *Miss* Stacy ? répéta Père Francis.

— Je crois qu'elle est à Londres. J'ai cru comprendre qu'elle est en sécurité chez une de ses nièces. J'ai très peu d'informations... Il faut être patient. Vous recevrez bientôt des nouvelles, lorsqu'ils seront installés dans leur nouvelle vie, dans leur pays d'accueil... Ne désespérez surtout pas ! Un jour, vous recevrez une lettre... Ils vous diront qu'ils sont sains et saufs. Ne vous inquiétez pas, les zones dangereuses ont déjà été évacuées. Laissez-leur le temps de se retourner...

— Et un jour ils reviendront ?

— Oui, c'est sûr !

— Dans combien de temps ?

— Personne ne peut répondre à cette question. Les peuples des Caraïbes sont solides. Ils ne baissent jamais les bras. Ils reconstruisent après les cyclones, après les tremblements de terre, après les éruptions volcaniques… Oui, ils reviendront… C'est sûr… On ne peut rien faire contre un volcan quand il se fâche, sinon se mettre à l'abri…

*

Pour fêter son départ, John avait apporté des boissons et des paquets de biscuits, mais personne n'avait le cœur à la fête. Le soda avait un parfum amer et les biscuits un goût de cendre. Cette satanée cendre qui n'en finissait pas de pleuvoir sur Montserrat…

Chapitre 9

À la rentrée de septembre, le paquebot semblait bien vide sans John Douglas. Nous n'arrêtions pas de penser à lui. Toutes les conversations nous ramenaient à son départ précipité. Les élèves étaient partagés dans leurs sentiments. L'avions-nous déçu ? Où était-il ? Que faisait-il ? La cour de récréation basculait tantôt en sa faveur, tantôt en sa défaveur. Ses détracteurs le traitaient de lâcheur, de sans cœur. Ses partisans – dont je faisais partie avec Francky Durdant – continuaient de l'admirer, disant qu'il était un grand voyageur, un homme libre pareil à un oiseau. Il faisait ce qui lui plaisait de sa vie, parcourait le monde sans bagage ni racines, toujours curieux de découvrir d'autres terres, d'autres peuples, d'autres cieux…

Que devenait-il ? Où était-il ? Personne n'avait plus entendu parler de lui depuis son départ.

Je n'avais pas eu non plus de nouvelles de Shirley Humphrey. Certains jours, je pensais beaucoup à elle. Est-ce que j'avais rêvé notre rencontre ? La reverrais-je un jour ? Est-ce qu'une page était tournée ? Parfois, je l'oubliais complètement. Et si je ne l'avais pas photographiée pendant notre séjour à Montserrat, je crois que j'aurais fini par ne plus me souvenir des traits de son visage. Alors, je regardais longuement les photos où elle apparaissait. Et j'entendais de nouveau le son de sa voix et les éclats de son rire. Et je la revoyais triturant la petite étoile en or de sa chaîne. Je revoyais son appareil dentaire briller dans la nuit tandis qu'elle me racontait des histoires sans fin. Des histoires que je ne comprenais qu'à moitié et qui parlaient d'un temps où Plymouth vivait dans l'insouciance et dansait chaque 17 mars pour fêter la Saint-Patrick, où la peur ne planait pas au-dessus de la ville semblable à une ombre maléfique secouant son lourd manteau de cendre sale.

Souvent, pendant les récréations, les conversations revenaient sur la Soufrière. Les questions se bousculaient. Nous continuions à écrire à nos correspondants. Mais nos lettres demeuraient sans réponses. Personne n'avait reçu de courrier. Pas la moindre petite carte postale. Sans doute nous avaient-ils oubliés dans leur nouvelle vie. Au fur et à mesure, il faut bien l'admettre, l'espoir s'amenuisait et le découragement gagnait, effaçant de nos mémoires les beaux jours passés à Montserrat. Quand j'écrivais à Shirley, des lettres de plus en plus espacées dans le temps, j'avais l'impression de m'adresser à un fantôme, à un souvenir très flou. Est-ce qu'elle portait encore son appareil dentaire ? Est-ce que ses dents avaient fini par se redresser ? Où était-elle avec ses parents ? Dans le nord de Montserrat ? Sur une autre île de la Caraïbe ? Étaient-ils partis en Angleterre ? Aux États-Unis ? Est-ce que sa mère exerçait encore son métier de *hairdresser* ? Et son père ? Avait-il retrouvé un emploi de *policeman* à New York ou à Montréal ? Comment le gentil *Mister* Humphrey se débrouillait-il pour gérer la féroce circulation dans les rues de New York ? Et Bruce ? Francky croyait se souvenir qu'il avait de la famille au Canada. Et *Miss* Kentucky ? Que devenait-elle à Londres ?

Pendant le premier trimestre, je n'ai pas beaucoup vu Père Francis. Le temps où je nous considérais comme des jumeaux semblait perdu au détour d'un autre siècle. Moroses, nous vivions dans une attente silencieuse qui n'en finissait pas de nous éloigner l'un de l'autre. Trop de questions restaient sans réponses entre nous. Les mots ne pouvaient plus nous consoler, seulement nous blesser. J'en avais assez d'entendre dire qu'on était impuissants, qu'il n'y avait rien d'autre à faire qu'attendre et espérer… Alors, quand je passais devant sa maison, je tournais la tête. Lorsque je le croisais par hasard sur la route, et qu'il me deman-dait de venir chercher des fruits, je disais : « Oui, je viens tout à l'heure ! » Juste pour me débarrasser de lui. S'il m'appelait de l'autre côté de la clôture, je faisais semblant d'être très occupée, tellement prise par mon travail scolaire et mes tâches ménagères que j'avais complètement oublié de lui rendre visite, ou bien que je n'avais pas une minute à moi. Je pense qu'il n'était pas dupe. Il me souriait, secouait la tête et lançait : « Je comprends, Cynthia. Tu viendras quand tu auras le temps… »

En octobre, un écoulement de boue fut signalé sur le flanc sud-est du cratère.

En novembre, la terre trembla plusieurs jours de suite à Montserrat.

En décembre, la Soufrière cracha de la lave incandescente.

Décembre... C'était le premier Noël de Betsy. Maman voulait une très, très grande fête. Betsy n'avait que neuf mois. Elle ne savait pas encore marcher, faisait encore pipi et caca dans ses couches. Elle ne parlait pas bien, se contentant de répéter des : toti, popo, titi, sisi, tata, lolo, baba, dada, etc. Mais maman considérait que sa dernière fille était parfaitement capable d'apprécier la fête donnée en son honneur. Bon, en fin de compte, Betsy était assez sympa. On s'entendait bien, toutes les deux. Je crois qu'elle me préférait à Laura. Quand je la prenais dans mes bras, elle me faisait de grands sourires et me causait dans sa langue, « sisi, titi, topi, baba... », et ses yeux pétillaient de joie. Betsy était une enfant facile qui semblait apprécier la vie. Elle riait beaucoup, n'était pas capricieuse. Elle était curieuse et apprenait vite.

En octobre, maman avait repris son travail à la compagnie d'assurances. Gina, une dame haïtienne très douce, s'occupait de Betsy.

Gina n'avait pas de mari mais deux enfants âgés de cinq ans et trois ans. Elle habitait dans une petite case à l'entrée du bourg et laissait ses enfants à une voisine pour venir chez nous tous les jours. Un après-midi, Gina m'avait raconté comment elle avait été obligée de quitter précipitamment Haïti et de quelle manière elle avait débarqué en Guadeloupe. Ses parents étaient morts dans des conditions dramatiques. Son mari avait disparu en mer… L'histoire de la vie de Gina m'a passionnée. J'aurais pu l'écouter pendant des heures. J'avais besoin qu'elle me donne tous les détails : les couleurs de la mer, du ciel, de la robe de sa mère… Les bruits et les cris de la ville, le chant des oiseaux, la force du vent, les mots, les sourires, les larmes… Je me sentais proche de Gina lorsqu'elle racontait Haïti, cette île de la Caraïbe qui avait connu la gloire et la ruine. Même si son créole était différent du nôtre, je comprenais tout ce qu'elle disait. Alors je repensais au premier cours de John.

Je le revoyais écrivant au tableau les noms de toutes ces îles qui formaient l'archipel des Antilles.

Donc, pour le premier Noël de Betsy, maman voulait une fête grandiose. À boire et à manger à gogo, des invités bien habillés, des enfants heureux, des cadeaux merveilleux, des cantiques chantés... Elle invita le directeur de son agence et trois de ses amies, une collègue de travail, Gina et ses deux enfants, Tatie Flora bien sûr... et Père Francis. Depuis le temps qu'on était voisins, elle se rendait compte subitement qu'il n'avait pas de famille, qu'il était complètement isolé. Quel revirement spectaculaire ! Quelle idée bizarre ! Maintenant que je ne perdais plus mon temps chez lui, que j'allais à la bibliothèque avec Laura et David, maman ne se réjouissait pas. Au contraire, elle s'inquiétait, s'étonnait de mon attitude, estimait que je délaissais le pauvre homme. « Tu n'es pas contente ! Qu'est-ce qui se passe ? Je ne te comprendrais jamais, Cynthia... Tu oublies que c'est ton vieil ami. Tu ne dois pas l'abandonner ! Il viendra passer le réveillon avec nous.

Je vais l'inviter personnellement et tu m'accompagneras… »

C'est ainsi que je me suis retrouvée sur la véranda de Père Francis, plantée comme un piquet à côté de maman qui tenait Betsy dans ses bras et expliquait à Père Francis que Noël était une fête de famille. Il faisait partie de la famille… Immobile, les mâchoires crispées, j'avais l'impression d'être transformée en statue de bronze. Je me souviens de chaque mot de maman…

« Vous avez fait le voyage avec Cynthia à Montserrat.

Vous êtes triste comme elle.

Vous attendez aussi des nouvelles de votre correspondante.

Des nouvelles qui ne viennent pas.

C'est terrible ce qui arrive.

Ce volcan est infernal.

Nous sommes peu de chose sur cette terre.

Vous faites partie de la famille maintenant.

Je ne supporterais pas de vous imaginer dans la solitude pendant que nous serons en train de chanter, rire et manger en cette nuit de Noël. Il y aura beaucoup d'amis.

Tout le monde souhaite vous voir, et Cynthia la première… »

Je crois que j'ai sursauté en entendant cette dernière phrase. Ça m'a fait comme un violent coup de pioche sur la tête. J'ai croisé le regard de Père Francis. Ses yeux étaient vides.

*

Le 15 décembre, quand je me suis réveillée, je ne pensais pas que la journée serait à marquer d'une pierre blanche. Le matin, Francky s'était approché de moi dans la cour. Il m'avait glissé une enveloppe dans la main. J'ai cru que c'était une lettre d'amour, on ne sait jamais. En cinq secondes, j'ai imaginé un tas de choses. Je nous voyais déjà fiancés officiellement, mariés, avec des enfants… Bref, je me suis fait un film. Et puis, j'ai vu le timbre. Canada.

— Ouvre et lis !
— C'est qui ?
— Devine !
— Bruce…
— *Yes !* Bruce Abbott. Tu te rends compte !

— C'est super…

— Il habite au Canada. J'ai reçu la lettre hier. Je voulais t'appeler.

— Ah bon ! Le Canada…

— *Yes !* Toronto. Lis !

Francky était heureux. Il sautillait sur place. Ses yeux pétillaient de joie. J'étais déçue. Trois fois déçue. Déçue de le voir si joyeux. Déçue que ce ne soit pas une lettre d'amour. Déçue de ne pas avoir eu moi aussi des nouvelles de ma correspondante. Je ne pouvais m'empêcher de penser à Shirley. Pourquoi ne m'avait-elle pas encore écrit ? Où était-elle en ce moment ? Je lus rapidement la lettre de Bruce, passant sur les mots inconnus sans m'attarder, sans vraiment chercher à comprendre.

— Tu te rends compte ! Toronto ! C'est la belle vie pour lui, là-bas.

— Ouais !

La cloche a sonné et nous avons rejoint les élèves qui attendaient déjà devant la salle du prof de français. À la récréation de dix heures, la lettre de Bruce est passée de main en main. Francky voulait que tout le monde partage sa joie. J'étais dégoûtée.

À la fin de la journée, je marchais la tête basse et le dos voûté derrière Laura et David qui avaient, comme d'habitude, un tas d'histoires à se raconter. Ils ne s'intéressaient pas à moi, et je me sentais abandonnée. J'avais l'impression d'être dans une extrême solitude et de porter sur les épaules toute la désolation du monde. J'espérais un miracle pour moi seule. J'espérais que le facteur était passé et, comme le Père Noël, avait laissé cette lettre de Shirley que j'attendais depuis des mois. Hélas, la boîte aux lettres ne contenait que des factures destinées à papa.

Je suis allée dans le jardin pour m'isoler, remâcher ma solitude. J'étais tranquille. Je regardais les nuages dans le ciel quand j'ai entendu un bruit de feuilles. Je me suis retournée. C'est à ce moment que j'ai vu Père Francis. Il m'observait derrière la clôture. Je lui ai décoché un pauvre sourire. Son visage s'est illuminé d'un coup. Alors, il a brandi une lettre. La lettre de *Miss* Kentucky qu'il avait reçue le matin même.

— John avait raison, Cynthia. *Miss* Stacy vit à Londres, chez sa nièce.

— Ah oui !

— Elle va bien. Elle pense encore à moi. Peut-être qu'elle viendra me voir en Guadeloupe l'année prochaine. Et toi ? Tu n'as pas encore reçu de lettre de Shirley ?

— Non, rien. Pas de nouvelles, bonnes nouvelles…

Chapitre 10

Et voilà, Noël était là. Maman riait et chantait en buvant et en mangeant avec ses invités. J'étais à part, seule dans mon coin à ruminer. Je m'ennuyais ferme. Alors, je me mis à les dévisager les uns après les autres. Ils avaient tous l'air heureux autour de moi… Laura et David paraissaient émerveillés en reprenant les couplets des cantiques… Gina et ses enfants se régalaient et sautaient dans tous les coins… Le directeur de l'agence avait l'air d'un ahuri tombé du ciel. Il allait et venait dans son costume bleu, caressant au passage la tête d'un enfant qui croisait sa route entre le jardin, la véranda et le salon… Les collègues et les amis de mes parents souriaient à la ronde, à croire qu'ils participaient pour la première fois à un

Chanté Nwèl… Papa et Tatie Flora racontaient les fêtes de Noël du temps de leur enfance… J'avais l'impression d'assister à un film dans lequel les acteurs jouaient très mal leur rôle. Je ne croyais pas une seconde à leur bonheur.

J'ai ouvert mes cadeaux sans m'attendre à une quelconque surprise. Il y avait quelques livres, une trousse contenant le nécessaire pour les ongles, un album de photos enveloppé dans du papier de Cellophane, un stylo à encre et une lampe de poche… de la part de Père Francis. J'ai remercié avec des sourires forcés. Et puis, j'ai fait semblant de bâiller, pendant au moins une heure, jusqu'à ce que maman me dise d'aller me coucher. Il était minuit. Je suis entrée dans ma chambre sans allumer la lumière. J'ai ouvert ma fenêtre et j'ai regardé la lune dans le ciel. La nuit était douce. De partout, on entendait monter des chants de Noël. Les gens se réjouissaient. Est-ce qu'ils pensaient à Montserrat, au volcan qui avait chassé la moitié de la population à force de lui cracher de la cendre et des blocs de pierres incandescentes sur la tête ? Est-ce qu'ils s'inquiétaient du sort des malheureuses familles qui avaient dû fuir leur île ?

Qui s'en souciait encore ? Qui en parlait encore ? Je me souvenais qu'au tout début, en juillet et août, les gens s'étaient émus du drame vécu par les habitants de Montserrat. Des groupes de bénévoles avaient organisé des collectes d'argent, de vêtements et de nourriture. Les Guadeloupéens écoutaient les nouvelles et se tenaient informés de ce qui se passait là-bas. À présent, moins de six mois plus tard, je réalisai que plus personne ne s'intéressait à la catastrophe. Nos voisins étaient comme tombés aux oubliettes.

C'est, je crois, cette nuit-là que j'ai su que je voulais devenir journaliste. Pour que l'oubli ne gagne pas à tous les coups. Pour que l'on ne cesse pas de parler des petits pays qui sont représentés par un point minuscule sur les cartes de géographie. Je me suis laissée tomber tout habillée sur mon lit, gardant les yeux ouverts. Au plafond, les reflets de la lune dessinaient des étoiles de formes biscornues. J'ai dû m'endormir très vite, bercée par les cantiques de Noël repris en chœur par les invités.

Je ne me souviens pas avoir rêvé. Je sais seulement que le lendemain matin, je me suis réveillée en sursaut, vers dix heures. À la cuisine, Betsy trépignait sur sa chaise. Elle criait et pleurait en tendant désespérément les bras pour que quelqu'un la prenne. Maman rangeait la vaisselle tandis que Laura l'essuyait. Maman m'a scrutée de la tête aux pieds. On aurait dit que je venais d'une autre planète.

— Eh bien, qu'est-ce que tu attends ? Prends-la, Cynthia ! Je ne sais pas ce qu'elle veut. Elle a déjà eu son biberon et j'ai du travail ici avec Laura.

J'ai ronchonné :

— Attends une minute ! Je viens à peine de me réveiller. Faut me laisser le temps de déjeuner quand même.

Maman m'a considérée avec lassitude.

— Décidément, Cynthia, tu es insupportable. On ne peut rien te demander. Je ne te comprendrais jamais. Tu crois que ça m'a fait plaisir de voir ta figure allongée hier soir. Et tu remets ça ce matin… Tout le monde était content, sauf toi ! Pendant la soirée, on m'a demandé ce que tu avais, si tu n'étais pas malade. Je suis sûre que tu as joué la comédie. Tu n'avais pas envie de dormir. Tu voulais juste aller dans ta chambre. C'est pas vrai ?

Tu es insupportable… Qu'est-ce que j'ai fait au bon Dieu pour avoir une enfant pareille !

Laura a arrêté d'essuyer la vaisselle et m'a dévisagée comme si j'étais une fille indigne, la honte de la famille. Une tache…

— Tu fais de la peine à maman, Cynthia. Pourquoi tu es comme ça ?

C'en était trop ! J'en avais assez des leçons de morale. J'en avais assez d'être la cinquième roue du carrosse. J'en avais assez d'être considérée comme une extraterrestre. J'en avais marre d'être la méchante fille insupportable qui faisait de la peine à sa gentille maman. Alors, très calmement, j'ai refermé la boîte de chocolat en poudre. Je l'ai remise dans le placard, avec des gestes très lents. J'ai ouvert le réfrigérateur. J'ai replacé la bouteille de lait à l'endroit exact où je l'avais prise. Je sentais leur regard peser sur moi dans un silence inquiétant. Même Betsy avait cessé de pleurer. J'ai repoussé le tabouret sous la table. Et, sans dire un mot, j'ai tourné les talons. J'ai traversé le salon. Mes doigts tremblaient légèrement. Je me suis dirigée vers ma chambre, très droite. À ce moment-là, j'étais convaincue de ne pas avoir d'autre choix que faire ma valise et partir très loin de cette famille qui me détestait. J'étais insupportable, eh bien, adieu ! Non, je ne m'embarrasserais pas d'une valise ! Un sac à dos suffirait. Je devais voyager léger pour être libre. Quelques T-shirts, deux jeans, un gilet... J'ai rapidement rempli le sac. À ce moment, je me suis sentie très forte. Je m'imaginais marchant à la découverte du monde, pareille aux premiers explorateurs. Je ferais des petits boulots comme papa lorsqu'il était jeune. Je prendrais des notes tout au long de mes voyages et je finirais par devenir journaliste. La lampe de poche que j'avais reçue la veille en cadeau était posée sur mon bureau. J'ai pensé qu'elle me serait peut-être nécessaire. Je l'ai glissée dans mon sac en même temps que ma brosse à dents. Je me suis lavée en vitesse, et j'ai balancé mon sac à dos par la fenêtre, visant bien pour qu'il atterrisse directement dans le jardin de Père Francis, de l'autre côté de la clôture, sous le manguier. Je suis repassée par la cuisine et, d'un air naturel, j'ai dit, à qui voulait bien l'entendre, que j'allais voir Père Francis, cinq minutes. Maman m'a regardée d'un drôle d'air, mais elle n'a pas fait de commentaires. Laura m'a jeté un bref coup d'œil sévère. Betsy fut la seule à m'adresser un sourire. Si elle avait su parler, je crois qu'elle m'aurait dit : « Je t'aime, Cynthia. » J'ai eu un petit pincement au cœur, mais il n'était plus temps d'avoir des états d'âme.

J'ai contourné la case de Père Francis. Je l'ai aperçu dans son jardin. Il arrachait sans doute des mauvaises herbes. Prenant bien garde à ne pas être vue, j'ai ramassé mon sac et j'ai couru vers le bourg. De part et d'autre de la route, les champs de cannes s'étalaient sur des kilomètres. Avec mes parents, en voiture, j'avais parcouru cette route des centaines de fois. Jamais elle ne m'avait paru aussi longue. Dans mon esprit, les pensées arrivaient par vagues. La peur tentait habilement de se frayer un chemin, mais je l'écartais en me disant : « Tu dois être courageuse, Cynthia ! Tu ne dois pas avoir peur ! Tu dois affronter ton destin, Cynthia ! Tu vas devenir journaliste contre vents et marées ! »

Plusieurs voitures ont croisé ma route. Cela faisait presque une heure que je marchais, et je me demandais si maman s'était déjà rendu compte de mon absence ? J'avais quitté définitivement sa vie. Est-ce que j'allais lui manquer ? Sûrement pas.

Elle avait ses adorables jumeaux qui ne la décevaient jamais et son trésor de bébé, la petite Betsy. Est-ce que j'allais manquer à Francky Durdant ? Et à Père Francis ? Non, je pensais qu'ils m'oublieraient vite comme ils avaient oublié leurs amis de Montserrat. Je devais leur paraître insupportable à eux aussi. Ailleurs, des inconnus apprendraient à me connaître. Ils feraient l'effort de me comprendre. J'étais plongée dans mes réflexions quand, au détour de la route, une Mercedes me dépassa, puis s'immobilisa à quelques mètres devant moi. Le chauffeur me faisait de grands signes. Je ralentis le pas. Que me voulait cet homme ? Je me souvins des mises en garde de papa lorsque j'avais travaillé à la station essence. La peur me saisit de nouveau. Est-ce que j'allais être enlevée par cet individu ?

Quand j'arrivai à la hauteur de sa voiture, il baissa la vitre et dit mon nom : Cynthia. C'était le directeur de l'agence de maman.

— Cynthia ! Je me disais bien que je t'avais reconnue. Où vas-tu comme ça ? Tu m'as l'air bien pressée.

J'ai avalé ma salive. J'ai composé un sourire

et j'ai répondu calmement que je me rendais chez ma Tatie Flora, pour passer la journée.

— Tu ne veux pas que je te dépose.

— Non, merci. Je préfère marcher. Je ne suis pas en retard.

— Comme tu voudras, lâcha-t-il. À un de ces jours. Au revoir.

Quand sa voiture disparut derrière un morne, mon sourire s'était transformé en rictus, mais j'étais soulagée.

*

J'ai marché toute la journée. J'ai traversé le bourg de long en large, sans jamais en sortir. J'avais le sentiment d'être un poisson prisonnier dans une nasse. Cent fois j'ai voulu téléphoner à Francky, pour le prévenir de mon départ, mais je n'avais pas d'argent. J'avais faim et soif. J'ai bu l'eau de la fontaine devant la mairie. J'ai regardé les chiens errants se disputer un os. J'ai même pensé à voler une glace *Miko* dans la glacière de la marchande qui passait ses après-midi devant le cinéma *Plazza*. Je me sentais désespérée et perdue.

Quand la pluie se mit à tomber, l'idée de retourner à la maison me traversa l'esprit un millième de seconde. À quoi bon ! Maman avait dit et répété que j'étais insupportable. Ça signifiait qu'elle ne pouvait plus me supporter. Ça voulait dire que j'étais un fardeau pour elle. Ça laissait supposer qu'elle serait soulagée de me voir disparaître de sa vie, loin de ses yeux. J'avais envie de pleurer. Mêler mes larmes à la pluie qui dévalait sur mon visage. Pleurer sur mon sort. Pleurer sur l'injustice du monde. Tout se mélangeait dans ma tête. Les gens et les volcans. Est-ce qu'ils étaient semblables ? Est-ce que les êtres humains n'étaient pas aussi terribles que les volcans ? Les mots que maman utilisait pour me parler me tombaient sur la tête comme des roches brûlantes. Sa façon de me regarder m'enveloppait tout entière de cendre. Sa colère m'avait fait fuir la maison, et j'étais maintenant sur la route de l'exil, pareille aux habitants de Montserrat, pareille à mon amie Shirley Humphrey. Je ferais comme elle, je ne donnerais pas de nouvelles. Je m'évaporerais sans laisser de trace. Ma mère n'aurait plus qu'à se consoler en caressant mon visage sur des photos jaunies.

En passant devant le parc municipal pour la troisième fois, je repérai un banc à moitié caché derrière les grandes feuilles d'un bananier. J'étais trempée jusqu'aux os et j'avais mal aux jambes d'avoir trop marché. Il fallait que je me repose, que je réfléchisse. D'un coup, je me sentais fatiguée, très vieille. La pluie avait cessé de tomber. Il était déjà six heures du soir. Où allais-je bien pouvoir dormir ce soir ? Le ciel commençait à virer au bleu sombre. Il ferait bientôt noir. Très, très noir… Et j'étais seule, sans famille ni amis. Seule comme les chiens errants dans la nuit, avec mon ventre vide et mes idées noires. Je resterais assise toute la nuit. J'attendrais le retour du soleil et je reprendrais ma route dès que le jour se lèverait… Tels étaient mes projets.

*

Je ne peux dire combien de temps je restai assise, immobile, les yeux ouverts dans la nuit, sur le banc du parc municipal. Je sais seulement qu'à un moment j'eus l'impression que mon corps devenait dur et froid comme la pierre du banc sur

lequel j'étais assise. C'était sûr, j'allais me trans-
former en pierre aussi, me statufier au fur et à
mesure.

Je ne peux mesurer scientifiquement la force
des sentiments qui m'envahirent cette nuit-là. Je
sais seulement que la peur, la solitude et la tristesse me serraient le cœur et cognaient dans ma
tête à chaque instant. C'est peut-être pour me sentir moins seule que j'allumai la petite lampe de
poche que m'avait offerte Père Francis.

Je ne peux me souvenir avec exactitude du
premier visage qui m'apparut. Peut-être papa.
Laura et maman. David et Père Francis. Je sais seulement que les larmes ont inondé mon visage en un
quart de seconde. Je sais seulement que leurs cris
de joie m'ont d'un coup réchauffée tout entière. Ils
étaient tous là, me prenaient dans leurs bras à tour
de rôle, m'étreignaient, m'embrassaient, me disant
combien ils avaient eu peur, combien ils m'ai-
maient. Ils m'avaient cherchée partout. Ils étaient
allés à la police. Ils avaient imaginé le pire. Maman
me demandait pardon, me caressant le visage, me
couvrant de baisers, me murmurant des mots doux :
« Ma Cynthia chérie, ma petite fille adorée, mon

petit cœur sucré… J'ai eu si peur, mon bébé. J'ai eu si peur de t'avoir perdue… »

Je ne peux dire à quel moment je me suis endormie. Est-ce que papa m'a portée dans ses bras comme un petit bébé ? Ma journée revenait à ma mémoire pareille à un cauchemar… Je sais seulement que, le lendemain matin, je me suis réveillée bien au chaud dans ma chambre. J'ai ouvert les yeux. Maman se tenait à côté du lit, souriait de toutes ses dents.

— Bonjour, ma Cynthia. Tu as bien dormi ?

J'ai souri béatement à maman et puis j'ai tendu les bras pour qu'elle m'embrasse. On est restées longtemps serrées l'une contre l'autre.

— Je t'aime, maman.

— Je t'aime aussi, ma chérie.

Maman avait les yeux mouillés.

C'était une bonne journée qui commençait. Papa est venu nous rejoindre. Betsy gesticulait dans ses bras, jouant avec une petite boîte.

— Il y a une surprise pour toi.

— Quoi ?

À ce moment, il s'est tourné vers Betsy : « Donne à Cynthia ! Donne, bébé ! »

Maman a répété : « Donne à Cynthia ! Allez ! Donne ! »

Betsy a entrouvert la bouche et m'a regardée d'un air joyeux, bavant à moitié. Et puis, encouragée de nouveau, elle a fini par me tendre la petite boîte. J'étais soudain comme une reine que les gens de son royaume viennent saluer. Une personnalité importante à qui l'on remet des cadeaux chaque matin à son réveil. J'ai souri à Betsy et elle a lâché la boîte. Sous le tampon *US air mail*, j'ai tout de suite reconnu l'écriture de Shirley. Oui, l'amitié avait vaincu l'oubli. D'un bond, je me suis redressée sur mon lit. Enfin, j'avais des nouvelles, comme Francky, comme Père Francis…

Shirley m'écrivait d'Atlanta. Dans sa lettre, elle me racontait son départ précipité de Plymouth, les pluies de cendres quotidiennes, les tremblements de terre, la peur inscrite sur les visages des gens, la fermeture du salon de coiffure… Au mois d'août, quand son père avait pris la décision de quitter Montserrat, Shirley n'y avait pas cru. Jusqu'au bout, elle avait espéré que tout redeviendrait comme avant. Et puis, le mois de septembre était arrivé et ils avaient embarqué dans l'avion de l'exil. L'oncle paternel de Shirley les avait accueillis dans son appartement d'Atlanta. *Mrs* Humphrey avait eu beaucoup de mal à s'adapter à sa nouvelle vie américaine. Mais Shirley avait rencontré de nouveaux amis.

Dans la boîte, il y avait encore un petit paquet sur lequel Shirley avait inscrit à l'encre rouge *A little star for Cynthia.* J'avais l'impression d'être dans un conte ou dans une légende. Comme le Petit Poucet, on avait voulu me perdre dans la forêt, mais j'avais de nouveau une famille et des amis. Comme Ulysse, j'avais affronté le pire : un voyage sur la mer démontée, des volcans en colère, des tremblements de terre, des géants, un bébé… J'avais vécu dans la solitude, de la même manière que Robinson Crusoé sur son île déserte… J'avais passé tant d'épreuves avant d'arriver à ce jour. Alors, comme un trophée, je brandis l'étoile d'or que m'avait envoyée Shirley. Une étoile identique à la sienne. Une étoile qui voulait dire que plus jamais je ne serais seule dans la nuit.

Épilogue

Les années ont passé. Plymouth, une capitale entière, s'est transformée en cité fossile, ensevelie sous une croûte de cendre et de graviers. Aujourd'hui, la moitié de l'île a fui en exil. Sur les douze mille habitants que comptait Montserrat, il n'en reste plus que cinq mille, aujourd'hui confinés dans un espace toujours plus réduit. Chaque jour, il faut reculer plus loin encore, échafauder des bâtiments en contreplaqué pour les abandonner quelques mois plus tard devant les pierres projetées à six mille mètres de haut, les coulées toujours plus fortes qui grignotent là un bout de route, ici un village…

Aujourd'hui, en cette année 2004, Shirley vit toujours à Atlanta avec sa famille. Elle travaille à l'aéroport international.

Cynthia veut toujours devenir journaliste. Elle vit à Lille et suit des cours à l'école de journalisme.

Un jour, peut-être, le volcan de la Soufrière se calmera...

DANS LA MÊME COLLECTION

Guadeloupe

Composition et mise en page : L.N.L.E., Paris
Cet ouvrage a été achevé d'imprimer en février 2015
par l'Imprimerie Floch à Mayenne sur Roto-Page
D. L. : février 2015. N° d'imprimeur : 88053.
Imprimé en France